A-Z Street Atlas of LUTON a...

C000002516

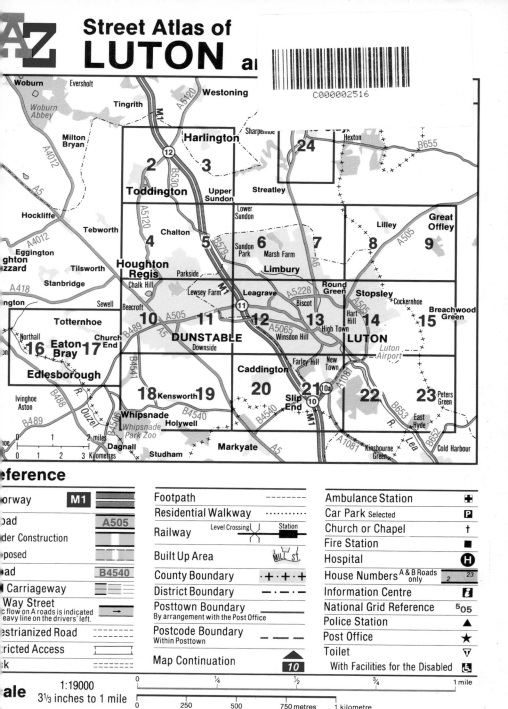

Reference

orway	**M1**
ad	**A505**
der Construction	
posed	
ad	**B4540**
Carriageway	
Way Street — c flow on A roads is indicated eavy line on the drivers' left.	→
estrianized Road	
ricted Access	
k	

Footpath	- - - - - -
Residential Walkway	· · · · · · ·
Railway — Level Crossing / Station	
Built Up Area	MILL ST.
County Boundary	+ · + · +
District Boundary	— · — · —
Posttown Boundary By arrangement with the Post Office	
Postcode Boundary Within Posttown	— — —
Map Continuation	▲ 10

Ambulance Station	✚
Car Park Selected	P
Church or Chapel	†
Fire Station	■
Hospital	H
House Numbers A & B Roads only	2 ... 23
Information Centre	i
National Grid Reference	505
Police Station	▲
Post Office	★
Toilet	▽
With Facilities for the Disabled	♿

ale 1:19000
3⅓ inches to 1 mile

0 ¼ ½ ¾ 1 mile
0 250 500 750 metres 1 kilometre

Geographers' A-Z Map Co. Ltd.

Head Office : Fairfield Road, Borough Green, Sevenoaks, Kent TN15 8PP Telephone 01732 781000
Showrooms : 44 Gray's Inn Road, Holborn, London WC1X 8HX Telephone 0171-242-9246
The Maps in this Atlas are based upon the Ordnance Survey 1:10000 Maps with the permission of the Controller of Her Majesty's Stationery Office. © Crown Copyright

© 1994 Edition 1 Copyright of the Publishers

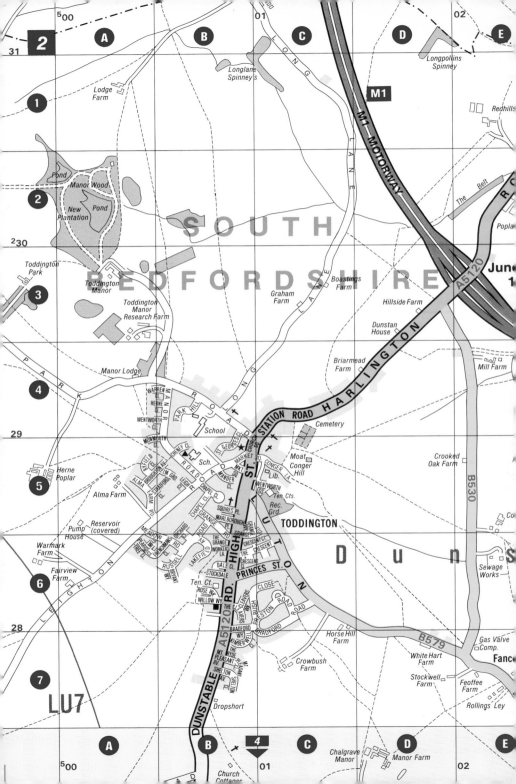

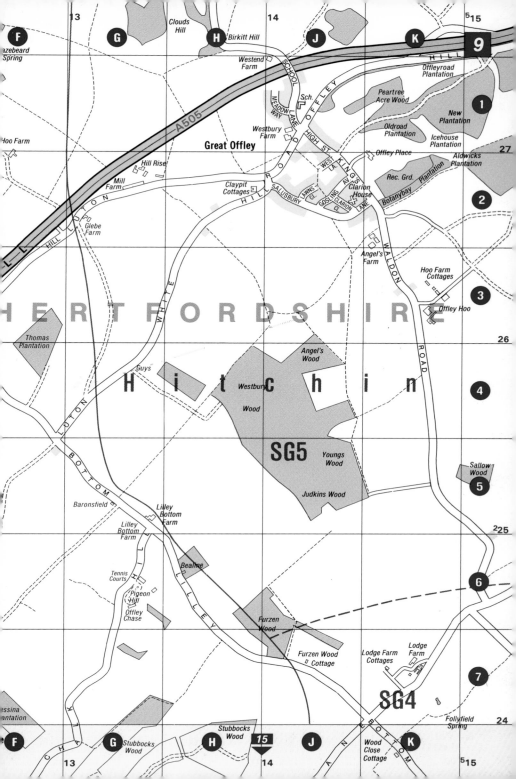

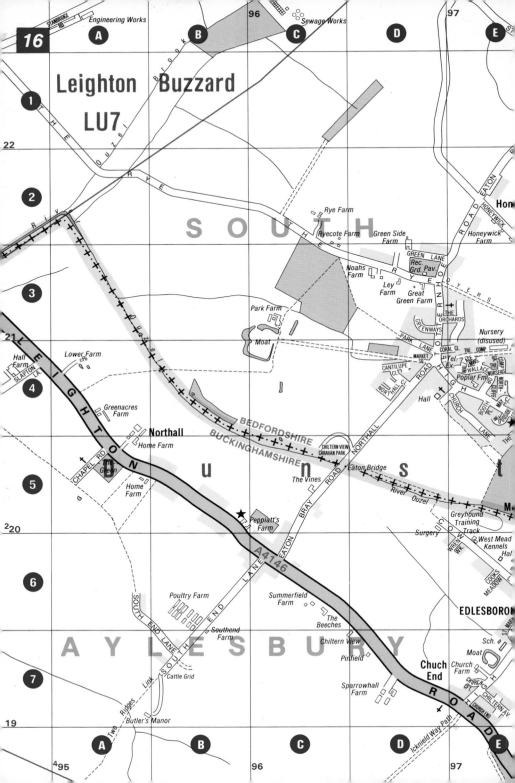

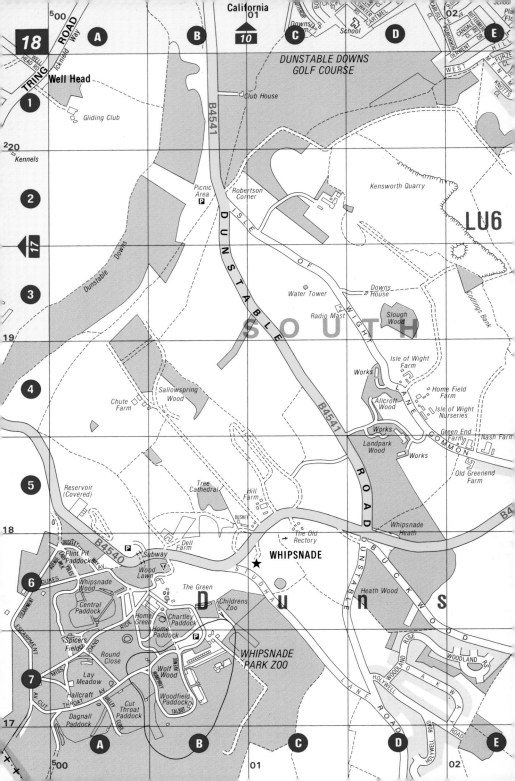

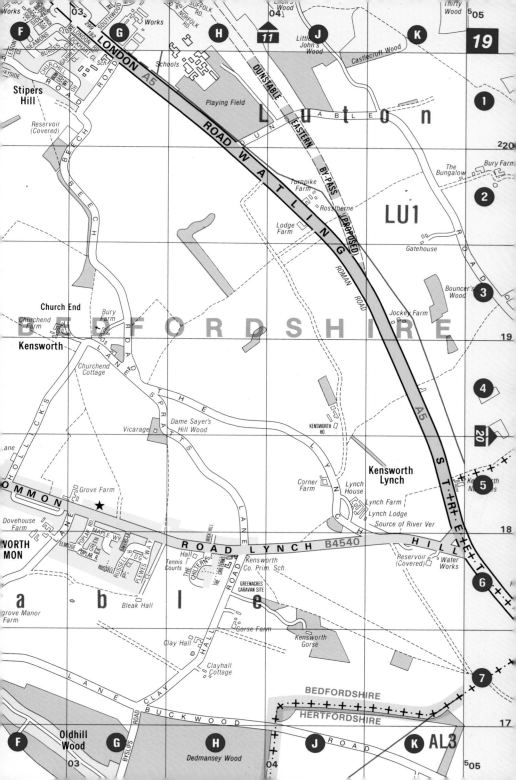

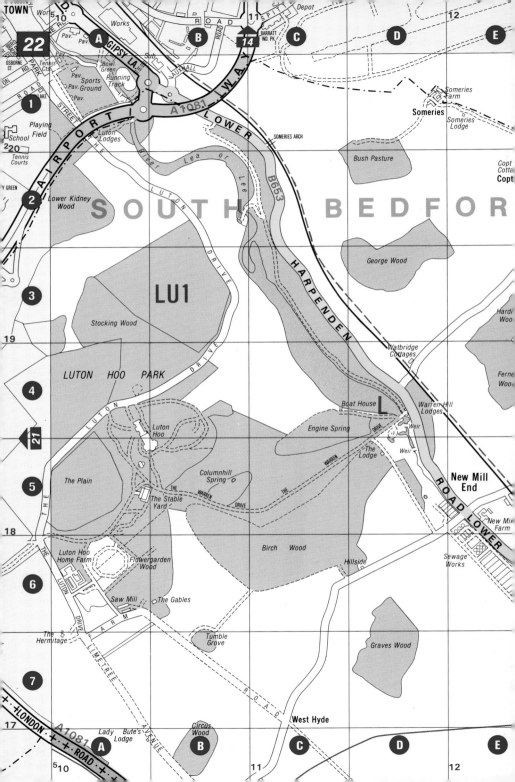

F **G** **H** **15** **J** **K**

Cottages
13
Dane Street
Farm
Chiltern
Hall
Birch
Spring
Limekiln
Wood
14
Pondcroft
Diamond End
Cottages
Den
Sloughs
Wood
515 utts
od
Wandon Green
Farm
Hurst Wood
Laysbury
Dells

1

North
Lodge
Shotmore
Plantation
Withstocks
Wood
ROAD
Wandon Green
Cottages
220

2

HIRE
BEDFORDSHIRE
HERTFORDSHIRE
Forge
Cottage
Lawrence End
Lawrence End
Park
NORTH
LAWRENCE END
Rudwick Hall

Chiltern Green
Chiltern
House
Horsley's Wood
Laburnum
Farm
Laburnum
Cottages
Hall
Lawrence
End Lodge
HERTFORDSHIRE
Panmore Dell

3
19

Peter's Green
★
THE GREEN
KIMPTON
Dellfield
Cottage
Lye
Wood

4

Deacon's
Spring
HYDE
LANE
U
M
M
E
R
S
ROAD
Little Plummers
O
n

Flasket's
Wood
Round
Wood
Great
Plummers

5

LU2
Bramagar
Wood
18

Tennis
Court
Garden
Wood
The Hyde
Hyde Home
Farm
Home Wood
Little Cutts
Farm
Hill
Spring
ST.

6

EAST HYDE
Farr's
Lodge
East Hyde Park
School
HANBRO'
CL.
Lea Bridge
Corner
ALBANS
Hill
Farm

Great Cutts
Farm
Harpenden
AL5
HEATH
Dane Farm
Dane
Spring
B652 LA.

7

DEN
ROAD
Great Cutts
Farm House
Ladies
Spring
17
Bower
Heath
Farm

F **G** **H** **J** **K**
Broadlands
13
Wall
Wood
14
BOWER
COMMON
LANE

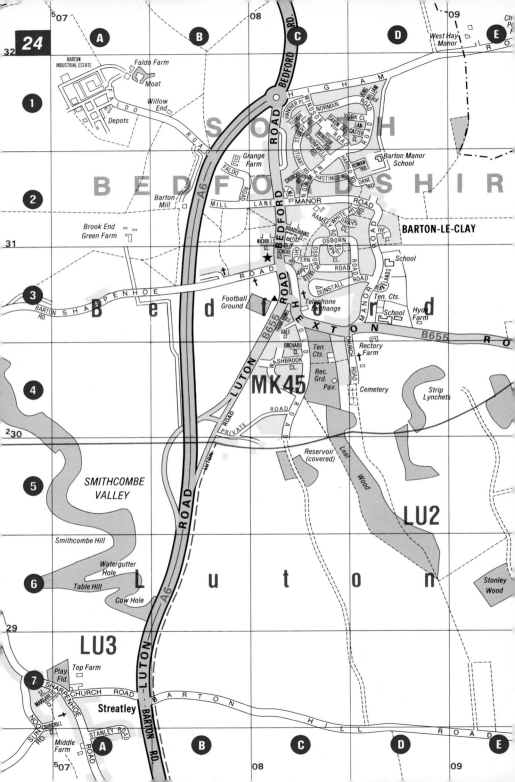

INDEX TO STREETS

HOW TO USE THIS INDEX

1. Each street name is followed by its Postal District and then by its map page reference; e.g. Abbey Dri. LU2-4A 14 is in the Luton 2 Postal District and it is to be found in square 4A on page 14. However, with the now general usage of Postal Coding, it is not recommended that this index be used as a means of addressing mail.

2. A strict alphabetical order is followed in which Av., Rd., St. etc. (even though abbreviated) are read in full and as part of the street name; e.g. Allendale appears after Allen Clo. but before All Saints Rd.

3. Street and Subsidiary names not shown on the Maps, appear in the Index in *Italics* with the thoroughfare to which it is connected shown in brackets; e.g. *Ackworth Ct. LU4-7A 6 (off Ackworth Cres.)*

GENERAL ABBREVIATIONS

All : Alley	Clo : Close	Ind : Industrial	Pl : Place
App : Approach	Comn : Common	Junct : Junction	Rd : Road
Arc : Arcade	Cotts : Cottages	La : Lane	S : South
Av : Avenue	Ct : Court	Lit : Little	Sq : Square
Bk : Back	Cres : Crescent	Lwr : Lower	Sta : Station
Boulevd : Boulevard	Dri : Drive	Mnr : Manor	St : Street
Bri : Bridge	E : East	Mans : Mansions	Ter : Terrace
B'way : Broadway	Embkmt : Embankment	Mkt : Market	Up : Upper
Bldgs : Buildings	Est : Estate	M : Mews	Vs : Villas
Bus : Business	Gdns : Gardens	Mt : Mount	Wlk : Walk
Cen : Centre	Ga : Gate	N : North	W : West
Chu : Church	Gt : Great	Pal : Palace	Yd : Yard
Chyd : Churchyard	Grn : Green	Pde : Parade	
Circ : Circle	Gro : Grove	Pk : Park	
Cir : Circus	Ho : House	Pas : Passage	

INDEX TO STREETS

Abbey Dri. LU2-4A 14
Abbey M. LU6-7E 10
Abbey Wlk. LU5-6G 5
Abbots Ct. LU2-4A 14
Abbotswood Pde. LU2-4A 14
Abbots Wood Rd. LU2-4A 14
Abercorn Rd. LU4-2H 11
Abigail Clo. LU3-2H 13
Abigail Ct. LU3-2H 13
Abingdon Rd. LU4-2A 12
Acorn Clo. LU2-2K 13
Ackworth Ct. LU4-7A 6
(off Ackworth Cres.)
Ackworth Cres. LU4-7A 6
Adelaide St. LU1-6H 13
Adlington Ct. LU4-1A 12
Adstone Rd. LU1-3D 20
Aidans Clo. LU6-4A 10
Ailsworth Rd. LU3-6D 6
Airport App. Rd. LU2-5D 14
Airport Executive Pk. LU2-5C 14
Airport Way. LU1 & LU2-3J 21
Albermarle Clo. LU4-2H 11
Albert St. LU5-6E 10
Albert Rd. LU1-7J 13
Albion Ct. LU4-2J 13
Albion Ct. LU6-5D 10
Albion Rd. LU2-5J 13
Albion St. LU6-5D 10
Albury Clo. LU3-3E 6
Aldbanks. LU6-4A 10
Aldenham Clo. LU4-2H 11
Alder Cres. LU3-1E 12
Alderton Clo. LU2-4D 14
Aldhous Clo. LU3-7F 7
Alesia Rd. LU3-6D 6
Alexandra Av. LU3-2G 13
Alfred St. LU5-5E 10
Alfriston Clo. LU2-2C 14
Allenby Av. LU5-4J 11
Allen Clo. LU5-5F 11
Allendale. LU3-3E 6
All Saints Rd. LU5-7D 4
Alma Farm Rd. LU5-5A 2
Alma Link. LU1-6H 13
Alma St. LU1-6H 13
Almond Clo. LU3-7E 6
Alpine Way. LU3-4B 6
Alsop Clo. LU5-7D 4
Althorp Rd. LU3-4G 13
Alton Rd. LU1-1K 21
Alwyn Clo. LU2-3J 13
Amberley Clo. LU2-1D 14
Ambleside. LU3-7D 6

Ames Clo. LU3-3D 6
Amhurst Rd. LU4-2H 11
Andover Clo. LU4-6A 6
Angels La. LU5-7D 4
Angus Clo. LU4-2J 11
Anmer Gdns. LU4-1K 11
Anstee Rd. LU4-6K 5
Anthony Gdns. LU1-1H 21
Anvil Ct. LU3-7C 6
Apex Bus. Cen. LU5-3E 10
Apollo Clo. LU5-6F 11
Appleby Gdns. LU6-6D 10
Applecroft Rd. LU2-1C 14
Apple Glebe. MK45-3C 24
Arbour Clo. LU3-3E 6
Arbroath Rd. LU3-3B 6
Arcade, The. LU4-4G 13
Archway Rd. LU3-1C 12
Arden Pl. LU2-4J 13
Ardleigh Grn. LU2-4D 14
Ardley Clo. LU6-1E 18
Argyll Av. LU3-3G 13
Armitage Gdns. LU4-4B 12
Arncliffe Cres. LU2-4J 13
Arndale Cen. LU4
Arndale Cen. LU1-6J 13
Arndale Ct. LU2-5K 13
(off Moulton Rise)
Arnold Clo. LU2-2A 14
Arnold Clo. MK45-3C 24
Arnold Ct. LU6-6C 10
Arran Ct. LU1-6H 13
Arrow Clo. LU3-6C 6
Arthur St. LU1-7J 13
Arundel Rd. LU4-2E 12
Ascot Rd. LU3-3F 13
Ashburnham Rd. LU1-6F 13
Ashcroft. LU6-4B 10
Ashcroft Rd. LU2-1B 14
Ashdale Gdns. LU3-3E 6
Ashfield Way. LU3-6E 6
Ash Gro. LU5-5F 11
Ash Rd. LU4-5F 13
Ashton Rd. LU1-1J 21
Ashton Rd. LU6-4D 10
Ashton Sq. LU6-5D 10
Ash Tree Rd. LU5-6D 4
Ashwell Av. LU3-4A 6
Ashwell Pde. LU3-4A 6
(off Ashwell Av.)
Ashwell Wlk. LU6-6G 5
Aspley Clo. LU4-2G 11
Astrey Clo. LU5-1H 3
Atherstone Rd. LU4-4B 12
Atholl Clo. LU3-4B 6

Aubrey Gdns. LU4-6K 5
(off Toddington Rd.)
Audley Ct. LU2-4A 14
Austin Rd. LU3-1F 13
Avebury Av. LU2-1H 13
Avenue Grimaldi. LU3-2E 12
Avenue, The. LU4-7B 6
Avenue, The. LU6-6A 10
Avon Ct. LU1-5G 13
Avondale. LU1-5G 13
Axe Clo. LU3-6C 6
Aydon Rd. LU3-6F 7
Aynscombe Clo. LU6-5B 10

Back St. LU2-5J 13
Badgers Hill Rd. LU2-1J 13
Bagwicks Clo. LU3-5C 6
Bailey St. LU1-7K 13
Bakers La. LU6-6G 19
Baker St. LU1-1J 21
(in two parts)
Bakewell Clo. LU4-4A 12
Balcombe Clo. LU2-1C 14
Baldock Clo. LU4-2H 11
Balmore Wood. LU3-3F 7
Bampton Rd. LU4-4K 11
Banbury Clo. LU4-1D 12
Bancroft Rd. LU3-7F 7
Bank Clo. LU4-1A 12
Barbers La. LU1-6J 13
(off Guildford St.)
Barclay Ct. LU2-5K 13
Barford Rise. LU2-4D 14
Barking Clo. LU4-6K 5
Barley Brow. LU6-2A 10
Barleycorn, The. LU3-4H 13
(off Brook St.)
Barleyfield Way. LU5-1C 10
Barley La. LU4-7A 6
Barleyvale. LU3-4E 6
Barnard Rd. LU1-6E 12
Barnfield Av. LU2-4J 13
Barnston Clo. LU2-4D 14
Barratt Ind. Pk. LU2-7C 14
Barrie Av. LU3-6D 6
Barrowby Clo. LU2-4D 14
Barton Av. LU5-5F 11
Barton Hill Rd. LU2-7B 24
Barton Ind. Est. MK45-1A 24
Barton Rd. LU3-1F 7
(Luton)
Barton Rd. LU3-7A 24
(Streatley)

Barton Rd. LU5-1H 3
Barton Rd. MK45-3A 24
Bath Rd. LU3-3H 13
Bay Clo. LU4-6K 5
Baylam Dell. LU2-4E 14
Beacon Av. LU6-6A 10
Beaconsfield. LU2-5B 14
Beadlow Rd. LU4-1H 11
Beale St. LU6-4C 10
Beanley Clo. LU2-3E 14
Beaumont Rd. LU3-3F 13
Beckbury Clo. LU2-3E 14
Beckham Clo. LU2-5H 7
Bedford Ct. LU3-5H 7
Bedford Ct. LU5-1D 10
Bedford Gdns. LU3-1H 13
Bedford Rd. LU5-4B 4
Bedford Rd. MK45-2C 24
Bedford Sq. LU5-1D 10
Beechcroft Way. LU6-5B 10
Beech Grn. LU6-4B 10
Beech Hill. LU2-5C 8
Beech Hill Path. LU4-4F 13
Beech Rd. LU1-5G 13
Beech Rd. LU6-2F 19
Beech Tree Way. LU5-7D 4
Beechwood Ct. LU6-6B 10
Beechwood Mobile Homes. LU1
  -2C 20
Beechwood Rd. LU4-1B 12
Belgrave Rd. LU4-7B 6
Bellerby Rise. LU4-6K 5
Belmont Rd. LU1-6G 13
Belper Rd. LU4-3B 12
Belsham Pl. LU2-3E 14
Belsize Rd. LU4-2G 11
Belvedere Rd. LU3-7F 7
Bembridge Gdns. LU3-5D 6
Benington Clo. LU2-7J 7
Bennetts Clo. LU6-6D 10
Benning Av. LU6-5B 10
Benson Rd. LU3-5D 6
Bentley Ct. LU1-5G 13
(off Moor St.)
Beresford Rd. LU4-4E 12
Berkeley Path. LU2-5J 13
Bernard Rd. LU5-4E 10
Berry Leys. LU3-5C 6
Besford Clo. LU2-3E 14
Bethune Clo. LU1-7F 13
Bethune Ct. LU1-7F 13
Beverley Rd. LU4-4F 13
Bexhill Rd. LU2-3D 14
Bibshall Cres. LU6-7E 10

Bidwell Clo. LU5-7D 4
Bidwell Hill. LU5-7C 4
Bidwell Path. LU5-1D 10
Bigthan Rd. LU5-5E 10
Bilton Way. LU1-5D 12
Binder Clo. LU4-1G 11
Binder Ct. LU4-1G 11
(off Binder Clo.)
Binham Clo. LU2-5H 7
Birchen Gro. LU2-2K 13
Birch Link. LU4-4G 13
Birch Side. LU6-7F 11
Birchside Path. LU6-7F 11
Birdsfoot La. LU3-7F 7
Birling Dri. LU2-7C 8
Birtley Croft. LU2-4E 14
Biscot Rd. LU3-2F 13
Bishopcote Rd. LU3-2F 13
Blackburn Rd. LU5-2D 10
Blacksmith Comn. LU4-2G 5
Blacksmiths Ct. LU6-5D 10
(off Matthew St.)
Black Swan La. LU3-7E 6
Blackthorn Dri. LU2-1C 14
Black Thorn Rd. LU5-6E 4
Blakelands. MK45-3D 24
Blakeney Dri. LU2-5G 7
Blandford Av. LU2-6H 7
Blaydon Rd. LU2-5A 14
Blenheim Cres. LU3-3G 13
Bloomfield Av. LU2-4A 14
Bloomsbury Gdns. LU5-7F 5
Blows Rd. LU5-6F 11
Bluebell Wood Clo. LU1-6D 12
Blundell Rd. LU3-2E 12
Blyth Pl. LU1-7H 13
(off Russell St.)
Bodmin Rd. LU4-1D 12
Bolingbroke Rd. LU1-7F 13
Bolney Grn. LU2-2D 14
Bolton Rd. LU1-6K 13
Bonnick Clo. LU1-7G 13
Booth Pl. LU6-4E 16
Borders Way. LU5-6E 4
(off Black Thorn Rd.)
Borough Rd. LU5-6F 11
Borrowdale Av. LU6-7E 10
Boscombe Rd. LU5-3E 10
Bosmore Rd. LU3-6D 6
Bow Brookvale. LU2-4F 15
Bower Clo. LU6-5F 17
Bower Heath La. AL5-7J 23
Bower La. LU6-5F 17
Bowland Cres. LU6-7C 10
Bowles Way. LU6-1F 19
Bowling Grn. La. LU2-3J 13
Bowmans Clo. LU6-6E 10
Bowmans Way. LU6-6E 10
Boxgrove Clo. LU2-7C 8
Boxted Clo. LU4-7A 6
Boyle Clo. LU2-5J 13
Braceby Clo. LU3-6D 6
Brache Ct. LU1-7K 13
Brackendale Gro. LU3-7E 6
Bracklesham Gdns. LU2-2D 14
Bracknell Clo. LU4-2H 11
Bradford Rd. LU5-6C 2
Bradford Way. LU5-6B 2
Bradley Rd. LU4-4A 12
Bradshaws Clo. MK45-2C 24
Braintree Clo. LU4-2H 11
Braithwaite Ct. LU3-4H 13
Bramble Clo. LU4-1A 12
Bramble Rd. LU4-1A 12
Bramhanger Acre. LU3-5B 6
Bramingham Bus. Pk. LU3-4F 7
Bramingham La. LU3-2E 6
Bramingham Rd. LU3-7C 6
Brampton Rise. LU6-7E 10
Brandreth Av. LU5-4G 11
Branton Clo. LU2-3E 14
Brantwood Rd. LU1-6G 13
Bray's Ct. LU2-2B 14
Brays Rd. LU2-2B 14
Brecon Clo. LU1-7H 13
Brendon Av. LU2-4C 14
Brentwood Clo. LU5-6F 5
Bretts Mead. LU1-1G 21
Bretts Mead. LU1-7G 13
Brewers Hill Rd. LU6-4A 10
Brian Rd. LU5-1J 3

Briar Clo. LU2-1C 14
Brickhill Farm Caravan Site. LU1
-6G 21
Brickly Rd. LU4-7K 5
Bridgeman Dri. LU5-7F 5
Bridge St. LU1-6J 13
Brierley Clo. LU2-3D 14
Brierley Clo. LU6-1E 18
Brightwell Av. LU6-3J 17
Brill Clo. LU2-3D 14
Bristol Rd. LU3-1E 12
Britain St. LU5-5E 10
Britannia Clo. LU3-7F 7
Brittany Ct. LU6-5E 10
(off High St. S.)
Brive Rd. LU5-6G 11
Broadacres. LU2-6H 7
Broad Mead. LU3-2E 12
Broad Oak Ct. LU2-3D 14
(off Handcross Rd.)
Broad Wlk. LU5-4D 10
Brocket Ct. LU4-6B 6
Bromley Gdns. LU5-7F 5
Brompton Clo. LU3-4D 6
Brook Ct. LU3-4H 13
Brookfield Av. LU5-7E 4
Brookfield Pk. Rd. LU5-7E 4
Brookfield Wlk. LU5-1F 11
Brooklands Clo. LU4-6A 6
Brook St. LU3-5H 13
Brook St. LU6-6F 17
Brooms Rd. LU2-5A 14
Broughton Av. LU3-7G 7
Broughton Av. LU5-5A 2
Browning Rd. LU4-3J 11
Brownlow Av. LU6-7F 17
Brownlow Rise. LU6-2G 17
Brown's Clo. LU4-7B 6
Browns Cres. LU5-1H 3
Broxley Mead. LU4-7A 6
Brunel Ct. LU4-2G 11
Brunel Rd. LU4-2G 11
Brunswick St. LU2-5J 13
Brussels Way. LU3-3B 6
Bryant Way. LU5-6B 2
Bryony Way. LU6-4A 10
Buchanan Ct. LU2-5B 14
Buchanan Dri. LU2-5B 14
Buckingham Dri. LU2-3D 14
Buckle Clo. LU3-5D 6
Buckwood Av. LU5-4G 11
Buckwood La. LU6-6D 18
Buckwood Rd. LU6 & AL3-7G 19
Bull Pond La. LU6-5D 10
Bunhill Clo. LU6-5B 10
Bunting Rd. LU4-7J 5
Bunyans Clo. LU3-7E 6
Bunyans Wlk. LU5-1H 3
Burfield Ct. LU2-2D 14
Burford Clo. LU3-3D 6
Burford Wlk. LU5-7G 5
Burges Clo. LU6-1F 19
Burnham Rd. LU2-3B 14
Burnt Clo. LU3-5D 6
Burrs Pl. LU1-7J 13
Burr St. LU2-5J 13
Burr St. LU6-5D 10
Bury Clo. LU3-2H 3
Bury Pk. Rd. LU1-4G 13
Bush Clo. LU5-6B 2
Bushey Clo. LU6-5B 18
Bushmead Rd. LU2-7J 7
Butely Rd. LU4-6K 5
Bute Sq. LU1-6J 13
(off Arndale Cen.)
Bute St. LU1-6J 13
(in two parts)
Bute St. Mall. LU1-6J 13
(off Arndale Cen.)
Butlin Rd. LU1-6F 13
Buttercup Clo. LU6-6C 10
Buttercup La. LU6-7C 10
Butterfield Grn. Rd. LU2-6A 8
Buttermere Av. LU6-7E 10
Butterworth Path. LU2-5J 13
Buxton Rd. LU1-6H 13
Buzzard Rd. LU4-1J 11
Byfield Clo. LU4-4K 11
Byfield Clo. LU5-5A 2
Byron Clo. LU4-3K 11
Byslips Rd. LU6-7G 19

Caddington Comn. AL3-6C 20
Cades Clo. LU1-7E 12
Cades La. LU1-7E 12
Cadia Clo. LU1-2C 20
Calcutt Clo. LU5-3H 11
Caleb Clo. LU4-3D 12
Calnwood Rd. LU4-3K 11
Calverton Rd. LU3-6D 6
Cambridge St. LU1-1J 21
Cam Dri. LU5-7D 4
Camford Way. LU3-4J 5
Campania Gro. LU3-4E 6
Campian Clo. LU6-4A 10
Canberra Gdns. LU3-6F 7
Candale Clo. LU6-7E 10
Canesworde Rd. LU6-6C 10
Cannon La. LU2-7B 8
Canterbury Clo. LU3-1D 12
Cantilupe Clo. LU6-4D 16
Capability Grn. LU1-2K 21
Capron Rd. LU4-1C 12
Capron Rd. LU5-3C 10
Cardiff Gro. LU1-6H 13
Cardiff Rd. LU1-6H 13
Cardigan St. LU1-6H 13
Carfax Clo. LU4-2G 11
Carisbrooke Rd. LU4-4C 12
Carlisle Clo. LU6-7D 10
Carlton Clo. LU3-3G 13
Carlton Cres. LU3-2G 13
Carmelite Rd. LU4-2J 11
Carnegie Gdns. LU3-4E 6
Carol Clo. LU3-1F 13
Carolyn Clo. LU3-1F 13
Carsdale Clo. LU3-6E 6
Carteret Rd. LU2-4C 14
Carterweys. LU5-3G 11
Cartmel Dri. LU6-7D 10
Castle Clo. LU2-6G 17
Castle Croft Rd. LU1-6E 12
Castle Hill Rd. LU6-1F 17
Castle St. LU1-7J 13
(in two parts)
Catchacres. LU6-6C 10
Catesby Grn. LU3-3E 6
Catherall Rd. LU3-6F 7
Catsbrook Rd. LU2-4F 7
Cavendish Rd. LU3-3F 13
Caxton Ct. LU3-1D 12
Cedar Clo. LU2-2G 11
Cedars, The. LU6-6E 10
Celandine Dri. LU3-4E 6
Cemetery Rd. LU5-1D 10
Centenary Ct. LU4-1H 11
Chadwell Clo. LU2-4K 13
Chalfont Way. LU2-3C 14
Chalgrave Rd. LU7 & LU5-1A 4
Chalkdown. LU2-6J 7
Chalk Hill. LU2-1F 15
Challney Clo. LU4-3B 12
Chalton Heights. LU4-3G 5
Chalton Rd. LU4-7A 6
Chandos Rd. LU4-4D 12
Chapel Clo. LU2-4G 7
Chapel Clo. LU5-5B 2
Chapel La. LU6-2F 17
Chapel Path. LU5-1D 10
Chapel Rd. LU6-5A 16
Chapel Rd. SG4-5K 15
Chapel St. LU1-7J 13
(in two parts)
Chapel Viaduct. LU1-6J 13
Chapter Ho. Rd. LU4-3J 11
Chard Dri. LU3-3F 7
Charles St. LU2-4K 13
Charlwood Rd. LU4-4K 11
Charmbury Rise. LU2-1A 14
Charndon Clo. LU3-3F 7
Chartwell Dri. LU2-2J 13
Chase St. LU1-1J 21
Chatsworth Rd. LU4-4F 13
Chatteris Clo. LU4-1B 12
Chatton Clo. LU2-3E 14
Chaucer Rd. LU3-3G 13
Chaul End La. LU4-4C 12
Chaul End Rd. LU1-5A 12
Chaul End Rd. LU4-4K 11
Chaworth Grn. LU4-7A 6
Cheapside. LU1-6J 13
Cheapside Mall. LU1-6J 13
(off Arndale Cen.)

Cheapside Sq. LU1-6J 13
(off Arndale Cen.)
Chelsea Gdns. LU5-7F 5
Chelsworth Clo. LU2-4D 14
Cheney Clo. LU5-5B 2
Cheney Rd. LU4-7A 6
Chequer St. LU1-7K 13
Cherry Tree Clo. LU2-4A 14
Cherry Tree M. LU2-4K 13
Cherry Tree Wlk. LU5-6D 4
Chertsey Clo. LU2-5D 14
Chesford Rd. LU2-1C 14
Cheslyn Clo. LU2-3E 14
Chester Av. LU4-2C 12
Chester Clo. LU4-3D 12
Chestnut Av. LU3-3A 6
Cheveralls, The. LU6-7E 10
Cheviot Clo. LU3-5B 6
Cheviot Rd. LU3-5B 6
Cheyne Clo. LU6-2B 10
Chichester Clo. LU5-6G 11
Chiltern Av. LU6-7E 16
Chiltern Gdns. LU4-2D 12
Chiltern Rise. LU1-7H 13
Chiltern Rd. LU6-5C 10
Chiltern Rd. MK45-3C 24
Chilterns, The. LU6-6H 19
Chiltern View Caravan Pk. LU6
-5C 16
Chobham St. LU1-7K 13
Chobham Wlk. LU1-7K 13
Christchurch Ct. LU6-4C 10
(off High St. N.)
Christian Clo. LU5-2G 3
Church Clo. LU5-5E 10
Church Croft. LU6-7E 16
Church End. LU5-7C 4
Church End. LU6-7E 16
Churchfield Rd. LU5-7D 4
Church Grn. LU6-3H 17
Churchill Clo. LU3-7A 24
Churchill Rd. LU4-4E 12
Churchill Rd. LU6-1F 19
Churchill Rd. MK45-2C 24
Churchills. LU5-1H 3
Church La. LU6-4E 16
Church Rd. LU1-4G 21
Church Rd. LU3-7A 24
(Streatley)
Church Rd. LU3-7J 3
(Upper Sundon)
Church Rd. MK45-4D 24
Church Sq. LU5-5B 2
Church St. LU1-6J 13
Church St. LU5-5D 10
Church St. Mall. LU1-6J 13
(off Arndale Cen.)
Church Wlk. LU5-5E 10
Cicero Dri. LU3-4E 6
Clare Ct. LU3-2D 12
Claremont Rd. LU4-4F 13
Clarendon Ct. LU2-4H 13
(off Clarendon Rd.)
Clarendon Rd. LU2-4H 13
Clarion Clo. SG5-2J 9
Clarkes Way. LU5-1E 10
Claverley Grn. LU4-4A 12
Claydown Way. LU1-5F 21
Clay Hall Rd. LU6-7E 16
Cleavers, The. LU5-6B 2
Cleavers Wlk. LU5-6B 2
Clevedon Rd. LU2-3B 14
Clifford Cres. LU4-7B 6
Clifton Rd. LU1-5F 13
Clifton Rd. LU6-4C 10
Clinton Av. LU2-1K 13
Clive Ct. LU2-4J 13
Cloisters Rd. LU4-2K 11
Cloisters, The. LU5-6E 4
(off Sycamore Rd.)
Close, The. LU3-7E 6
Clover Clo. LU4-2J 11
Clydesdale Ct. LU4-2J 11
Clydesdale Rd. LU4-2J 11
Cobbington Clo. LU3-5E 6
Cobden St. LU2-4J 13
Cockernhoe La. LU2-3H 15
Colebrook Av. LU3-5A 6
Colemans Rd. SG4-4K 15

Colin Rd. LU2-3K 13
Collingdon Ct. LU1-5H 13
Collingdon St. LU1-5H 13
Collings Wells Clo. LU1-2C 20
Collingtree. LU2-1B 14
Coltsfoot Grn. LU4-7J 5
Colwell Ct. LU2-3E 14
Colwell Rise. LU2-3E 14
Common La. AL5-7K 23
Common La. LU3-7J 3
Common Rd. LU6-5D 18
Comp Ga. LU6-4E 16
Comp, The. LU6-4E 16
Compton Av. LU4-1B 12
Concorde St. LU2-5K 13
Conger La. LU5-5C 2
Coniston Rd. LU3-7D 6
Connaught Rd. LU4-4C 12
Conquest Rd. LU5-7G 5
Constable Clo. LU5-7F 5
Constable Ct. LU4-3E 12
Conway Clo. LU5-7G 5
Conway Rd. LU4-4F 13
Cookfield Clo. LU6-5A 10
Cooks Meadow. LU6-6E 16
Coombe Dri. LU6-6A 10
Cooters End La. AL5-7F 23
Copenhagen Clo. LU3-4B 6
Copperfields Clo. LU5-1F 11
Copse Way. LU3-4B 6
Copthorne. LU2-2D 14
Coral Clo. LU6-4D 16
Corbridge Dri. LU2-3E 14
Corinium Gdns. LU3-4E 6
Corncastle Path. LU1-7H 13
Corncastle Rd. LU1-7G 13
Corncrake Clo. LU2-7C 8
Cornel Clo. LU1-6E 12
Cornel Ct. LU1-6E 12
Cosgrove Way. LU1-4B 12
Cotefield Rd. LU4-2A 12
Cotswold Farm Bus. Pk. LU1
                            -4B 20
Cotswold Gdns. LU3-5A 6
Coulson Ct. LU1-5C 12
Coupees Path. LU2-5J 13
Court Dri. LU5-4D 10
Covent Garden Clo. LU4-2D 12
Coverdale. LU4-6K 5
Cowdray Clo. LU2-2C 14
Cow La. LU6-5E 16
Cowper St. LU1-1J 21
Cowridge Cres. LU2-5A 14
Coyney Gdns. LU3-4G 13
Crabtree Way. LU6-4D 10
Cradock Rd. LU4-4J 11
Cranbrook Dri. LU3-4B 6
Cranleigh Gdns. LU3-2G 13
Crawley Clo. LU1-5G 21
Crawley Grn. Rd. LU2-4C 14
Crawley Rd. LU1 & LU2-6K 13
Creasey Pk. Dri. LU6-3B 10
Crescent Clo. LU5-6B 2
Crescent Ct. LU5-6B 2
Crescent Rise. LU2-5K 13
Crescent Rd. LU2-5K 13
Crescent, The. LU1-3D 20
Crescent, The. LU5-6B 2
Cresswell. LU3-3F 7
Cresta Clo. LU5-3J 11
Crest, The. LU5-3F 7
Crest, The. LU5-4G 11
Croft Grn. LU6-5B 10
Croft Rd. LU2-2B 14
Croft, The. LU3-4B 6
Cromer Way. LU2-5H 7
Cromwell Hill. LU2-4H 13
Cromwell Rd. LU3-4H 13
Cromwell Rd. MK45-1C 24
Crosby Clo. LU4-3E 12
Crosby Clo. LU6-7E 10
Crosslands. LU1-3C 20
Cross St. LU2-5J 13
Cross St. N. LU6-4C 10
Crossways. LU5-7E 4
Cross Way, The. LU1-1G 21
Crowland Rd. LU2-7C 8
Croxton Clo. LU3-5E 6
Cuffley Clo. LU3-1D 12
Culverhouse Rd. LU3-1G 13
Culworth Clo. LU1-3C 20

Cumberland St. LU1-7J 13
Cumberland St. LU1-7J 13
Cumbria Clo. LU5-7G 5
Curlew Rd. LU2-7C 8
Curzon Rd. LU3-4G 13
Cusworth Wlk. LU6-4A 10
Cusworth Way. LU6-4A 10
Cutenhoe Rd. LU1-2J 21
Cutlers Grn. LU2-3F 15
Cut Throat Av. LU6-7A 18

Dagnall Rd. LU6-7J 17
Dalby Clo. LU4-2K 11
Dale Clo. LU5-4H 11
  (Dunstable)
Dale Clo. LU5-6B 2
  (Toddington)
Dale Rd. LU1-6G 13
Dale Rd. LU5-4H 11
Dalling Dri. LU5-7E 4
Dallow Rd. LU1-5C 12
Dalroad Ind. Est. LU1-5F 13
Dane Rd. LU3-3F 13
Dane Rd. MK45-2D 24
Darley Rd. SG4-4H 15
Daubeney Clo. LU5-1H 3
Dawlish Rd. LU4-2D 12
Deep Denes. LU2-3A 14
Delfield Gdns. LU1-2C 20
Dellcot Clo. LU2-7B 8
Dellfield Ct. LU2-3D 14
Dellmont Rd. LU5-7D 4
Dell Rd. LU5-7D 4
Dell, The. LU1-3C 20
Dell, The. LU2-4F 15
Delphine Clo. LU1-7F 13
Denbigh Rd. LU3-3F 13
Dencora Way. LU3-4K 5
Denham Clo. LU3-4C 6
  (in three parts)
Denmark Clo. LU3-3C 6
Denton Clo. LU4-1K 11
Derby Rd. LU4-3A 12
Derwent Av. LU3-5F 7
Derwent Dri. LU6-1E 18
Derwent Rd. LU2-5A 14
Devon Rd. LU2-6A 14
Dewsbury Rd. LU3-6F 7
Dexter Clo. LU3-3F 7
Ditchling Clo. LU2-2C 14
Ditton Grn. LU2-2E 14
Dolphin Dri. LU5-7G 5
Doo Lit. La. LU6-5H 17
Dorchester Clo. LU5-4D 10
Dordans Rd. LU4-1C 12
Dorel Clo. LU2-3K 13
Dorrington Clo. LU3-4G 13
Dorset Ct. LU1-7K 13
  (off Kingsland Rd.)
Douglas Cres. LU5-2C 10
Douglas Rd. LU4-3E 12
Dovedale. LU2-6J 7
Dovehouse Clo. LU6-6F 17
Dovehouse Hill. LU2-3B 14
Dovehouse La. LU6-7E 18
Dover Clo. LU3-2E 12
Downlands. LU3-5A 6
Downlands Caravan Pk. LU1
                          -6G 21
Downs Rd. LU1-6G 13
Downs Rd. LU5-5F 11
Downs View. LU4-1B 12
Downton Rd. LU3-5H 13
Drayton Rd. LU4-2H 11
Drovers Way. LU6-4B 10
Drury Clo. LU5-7E 4
Drury La. LU5-7E 4
Duchess Clo. LU5-4E 10
Dudley St. LU2-5J 13
Dukeminster Est. LU5-4E 10
Dukes Av. LU6-6A 18
Duke St. LU2-5J 13
Dumfries Ct. LU1-7H 13
  (off Dumfries St.)
Dumfries St. LU1-7H 13
Duncombe Clo. LU3-6G 7
Duncombe Dri. LU5-3G 11
Dunmow Ct. LU3-3H 13
Dunsby Rd. LU3-6E 6
Dunsmore Rd. LU1-7F 13

Dunstable Clo. LU4-4E 12
Dunstable Pl. LU1-6H 13
Dunstable Rd. LU4 & LU1-3K 11
Dunstable Rd. LU5-2D 10
  (Houghton Regis)
Dunstable Rd. LU5-7B 2
  (Toddington)
Dunstable Rd. LU6 & LU1-1H 19
Dunstable Rd. LU6-2B 18
Dunstable Rd. LU6-5G 17
  (Eaton Bray)
Dunstable Rd. LU6-3J 17
  (Totternhoe)
Dunstall Rd. MK45-3C 24
Durbar Rd. LU4-4E 12
Durham Rd. LU2-5A 14
Durler Gdns. LU1-1H 21
Duxford Clo. LU3-5F 7
Dyers Rd. LU6-3E 16
Dylan Ct. LU5-7E 4

Eagle Clo. LU4-1J 11
Earles Meade. LU2-4H 13
Earls Ct. LU5-4E 10
Easedale Clo. LU6-7E 10
Easingwold Gdns. LU1-5D 12
Eastcott Clo. LU2-4D 14
East End. LU5-7E 4
Eastern Av. LU5-5F 11
Eastfield Clo. LU2-1C 14
East Hill. LU3-6F 7
Easthill Rd. LU5-7E 4
East St. LU2-2D 8
Eaton Bray Rd. LU6-6C 16
Eaton Bray Rd. LU6-2E 16
Eaton Grn. Rd. LU2-5C 14
Eaton Pk. LU6-4F 17
Eaton Valley Rd. LU2-4B 14
Ebenezer St. LU1-7H 13
Eddiwick Av. LU5-5F 5
Edgcott Clo. LU3-3F 7
Edgecote Clo. LU1-3C 20
Edgehill Gdns. LU3-4A 6
Edgewood Dri. LU2-6C 8
Edkins Clo. LU2-7J 7
Edward St. LU2-4K 13
Edward St. LU6-4C 10
Egdon Dri. LU2-6H 7
Eighth Av. LU3-5B 6
Elaine Gdns. LU1-5E 20
Elderberry Clo. LU2-1B 14
Eldon Rd. LU4-3A 12
Eleanors Ct. LU6-5D 10
  (off Albion St.)
Eleanors Cross. LU6-5D 10
Elgar Path. LU2-5J 13
Elizabeth Ct. LU1-7H 13
  (off Chapel St.)
Elizabeth St. LU1-7H 13
Ella Ct. LU2-4K 13
Ellenhall Clo. LU3-4G 13
Ellerdine Clo. LU3-1F 13
Ellesmere Rd. LU6-4J 17
Elm Av. LU1-2C 20
Elmfield Ct. LU2-4A 14
Elm Gro. LU5-5B 2
Elmore Rd. LU2-4A 14
Elm Pk. Clo. LU5-6F 5
Elmside. LU6-6G 19
Elmtree Av. LU2-2E 14
Elmwood Cres. LU2-1J 13
Elveden Clo. LU2-6J 7
Elvington Gdns. LU3-3F 7
Ely Way. LU4-1B 12
Emerald Rd. LU3-4H 11
Emmer Grn. LU2-3F 15
Empress Rd. LU3-1C 12
Enderby Rd. LU3-5G 7
Enfield Clo. LU5-6F 5
Englands Av. LU6-2B 10
Englands La. LU5-5E 10
Englefield. LU2-2A 14
Ennerdale Av. LU6-6D 10
Ennismore Grn. LU2-4F 15
Enslow Clo. LU1-3C 20
Enterprise Way. LU3-4F 7
Epping Way. LU3-3A 6
Ereswell Rd. LU3-5E 6
Erin Clo. LU4-3E 12
Erin Ct. LU4-3E 12

Escarpment Av. LU6-6A 18
Eskdale. LU4-7A 6
Essex Clo. LU1-7K 13
Essex Ct. LU1-7J 13
Evans Clo. LU5-1G 11
Evedon Clo. LU3-6D 6
Evelyn Rd. LU5-3H 11
Evendale. LU4-7A 6
Evergreen Way. LU3-4E 6
Exton Av. LU2-4A 14
Eyncourt Rd. LU5-3E 10

Fairfax Av. LU3-5B 6
Fairfield Clo. LU5-4H 11
Fairfield Rd. LU5-4G 11
Fairford Av. LU2-7J 7
Fairgreen Rd. LU1-3D 20
Fair Oak Ct. LU2-2K 13
  (off Fair Oak Dri.)
Fair Oak Dri. LU2-2K 13
Falcon Clo. LU6-4C 10
Falconers Rd. LU2-4B 14
Faldo Rd. MK45-1A 24
  (in two parts)
Fallowfield. LU3-1F 13
Falstone Grn. LU2-3E 14
Fareham Way. LU5-7G 5
Faringdon Rd. LU4-2A 12
Farley Ct. LU1-1G 21
Farley Farm Rd. LU1-1F 21
Farley Hill. LU1-2F 21
Farley Lodge. LU1-1H 21
Farmbrook. LU2-5H 7
Farm Clo. LU5-7E 4
Farm Grn. LU1-1G 21
Farm Rd. LU1-6A 22
Farr's La. LU2-7F 23
Felbrigg Clo. LU2-3F 15
Felix Av. LU2-3A 14
Felmersham Ct. LU1-6F 13
Felmersham Rd. LU1-6E 12
Felstead Dri. LU2-2J 13
Felstead Way. LU2-2K 13
Felton Clo. LU2-4D 14
Fensome Dri. LU5-7G 5
Fenwick Clo. LU3-7F 7
Fenwick Rd. LU5-7G 5
Fermor Cres. LU2-4C 14
Ferndale Rd. LU1-6F 13
Fernheath. LU3-8E 6
Ferrars Clo. LU4-4K 11
Field End Clo. LU1-1G 21
Fieldfare Grn. LU4-7J 5
Fieldgate Rd. LU4-2B 12
Filmer Rd. LU4-1C 12
Finch Clo. LU4-1J 11
Finsbury Rd. LU4-7B 6
Finway. LU1-5D 12
Firbank Clo. LU3-3A 6
Firbank Ind. Est. LU1-5E 12
First Av. LU6-6D 10
Fitzroy Av. LU3-2F 13
Fitzwarin Clo. LU3-4C 6
Five Oaks. LU1-3D 20
Five Springs. LU3-6C 6
Five Springs Ct. LU3-6C 6
Flint Clo. LU3-5C 6
  (in three parts)
Flint Ct. LU1-1H 21
  (off Farley Hill)
Florence Av. LU3-5B 6
Flowers Ind. Est. LU1-7J 13
Folly La. LU1-2C 20
Forge Clo. LU4-2G 5
Forrest Cres. LU2-2A 14
Foster Av. LU5-2E 10
Foster Rd. LU5-1H 3
Foston Clo. LU3-6D 6
Fountains Rd. LU3-2G 13
Fourth Av. LU3-5A 6
Foxbury Clo. LU2-4C 14
Fox Dells. LU6-1E 18
Foxhill. LU2-7J 7
Frances Ashton Ho. LU6-5D 10
  (off Bull Pond La.)
Francis St. LU1-5G 13
Frank Hamel Ct. MK45-3C 24
Franklin Rd. LU6-5B 10
Frederick St. LU2-5J 13
Frederick St. Pas. LU2-4J 13

Frenchmans Clo. LU5-6B 2
French's Av. LU6-3A 10
Freshwater Clo. LU3-5D 6
Friars Clo. LU1-1F 21
Friars Ct. LU1-1F 21
Friars Wlk. LU6-6D 10
Friars Way. LU1-1F 21
Friary Field. LU6-5D 10
Friesian Clo. LU4-2J 11
Friston Grn. LU2-4D 14
Frome Clo. LU4-1C 12
Front St. LU1-5G 21
Fullbourne Clo. LU4-3C 12
Furlong La. LU6-3J 17
Furness Av. LU6-6E 10
Furrows, The. LU3-5F 7
Furze Clo. LU2-5H 7
Furzen Clo. LU6-1E 18

Gable Way. LU5-6E 4
  (off Sycamore Rd.)
Gadsby Ct. LU1-7H 13
  (off Wellington St.)
Gainsborough Dri. LU5-7F 5
Gaitskill Ter. LU2-5K 13
Gale Ct. MK45-3C 24
Gallery, The. LU1-6J 13
  (off Arndale Cen.)
Galston Rd. LU3-4B 6
Garden Ct. LU3-1D 12
  (off Gardenia Av.)
Gardener Ct. LU1-2J 21
Gardenia Av. LU3-1D 12
Garden Rd. LU6-6E 10
Gardners Clo. LU6-6A 10
Garfield Ct. LU2-2D 14
Garrett Clo. LU6-1F 19
Garretts Mead. LU2-2B 14
Gas Works Path. LU1-5H 13
Gatehill Gdns. LU3-3F 7
Gayland Av. LU2-5B 14
Gayton Clo. LU3-1F 13
Gelding Clo. LU4-7H 5
George St. LU1-6J 13
George St. LU6-4D 10
George St. W. LU1-6J 13
Gilder Clo. LU3-4E 6
Gilderdale. LU4-6K 5
Gildred Acre. LU6-1E 18
Gillam St. LU2-5J 13
Gillan Way. LU5-6G 5
  (off Houghton Pk. Rd.)
Gilpin Clo. LU5-7F 5
Gilpin St. LU6-3C 10
Gipsy La. LU1-7A 14
Glaisdale. LU4-7A 6
Glebe Gdns. LU5-1H 3
Glemsford Clo. LU4-6K 5
Gleneagles Dri. LU2-6J 7
Glenfield Rd. LU3-6G 7
Glen, The. LU1-3C 20
Gloucester Rd. LU1-7K 13
Godfreys Clo. LU1-7F 13
Godfreys Ct. LU1-7F 13
  (off Godfreys Clo.)
Goldcrest Clo. LU4-7J 5
Goldstone Cres. LU5-3F 11
Good Intent, The. LU6-6E 16
Gooseberry Hill. LU3-5F 7
Gooseberry Hill. LU3-6F 7
Gordon Rd. LU1-6H 13
Gorham Way. LU5-3H 11
Goshawk Clo. LU4-1J 11
Gosling Av. SG5-2J 9
Goswell End Rd. LU5-1H 3
Graham Gdns. LU3-1G 13
Graham Rd. LU5-6G 11
Grampian Way. LU3-4A 6
Granby Rd. LU4-2B 12
Grange Av. LU4-1B 12
Grange Gdns. LU5-5B 2
Grange Rd. LU5-5B 2
Grange, The. LU5-5B 2
Grange Wlk. LU5-5B 2
Grange Way. LU5-6G 5
Gransden Clo. LU3-5E 6
Grantham Rd. LU4-4E 12
Granville Rd. LU1-5F 13
Grasmere Av. LU3-5F 7

Grasmere Clo. LU6-6D 10
Grasmere Rd. LU3-5F 7
Grasmere Wlk. LU5-6E 4
  (off Sycamore Rd.)
Grays Clo. MK45-2C 24
Gt. Northern Rd. LU5-6E 10
Green Acres. LU2-2D 8
Greenacres Caravan Site. LU6
                          -6H 19
Green Clo. LU4-7A 6
Green Ct. LU4-7A 6
Greenfield Clo. LU6-4A 10
Greengate. LU3-4A 6
Greenhill Av. LU2-2H 13
Green La. LU2-1B 14
Green La. LU6-3D 16
Green La. LU6-1J 17
Green La. LU6-6G 19
Green Oaks. LU2-2K 13
Greenriggs. LU2-3F 15
Green, The. LU1-2C 20
Green, The. LU2-3J 23
Green, The. LU4-7A 6
Green, The. LU5-1E 10
Green, The. LU6-7F 17
Greenways. LU2-7B 8
Greenways. LU3-3D 16
Gregories Clo. LU3-4H 13
Gresham Clo. LU2-5D 14
Grosvenor Rd. LU3-7F 7
Grovebury Clo. LU6-7F 11
Grove Caravan Site. LU1-3F 21
Grove End. LU1-1F 21
Grove Rd. LU1-6H 13
Grove Rd. LU1-4F 21
Grove Rd. LU1-6H 13
Grove Rd. LU5-5E 4
Grove Rd. LU6-2H 7
Grove, The. LU1-1F 21
Guardian Ind. Est. LU1-5G 13
Guernsey Clo. LU4-2H 11
Guildford St. LU1-5J 13
Gurney Ct. LU6-4F 17

Haddon Rd. LU2-5K 13
Hadlow Down Clo. LU3-7E 6
Hadrian Av. LU5-3G 11
Hagdell Rd. LU1-1G 21
Half Moon La. LU1-6G 21
Half Moon La. LU5-6F 11
Halfway Av. LU4-4B 12
Halley's Way. LU5-1F 11
Hallwicks Rd. LU2-2B 14
Halyard Clo. LU3-6F 7
Hambling Pl. LU6-5B 10
Hambro Clo. LU2-7F 23
Hamer Ct. LU2-4H 7
Hammersmith Clo. LU5-7E 4
Hammersmith Gdns. LU5-7E 4
Hammond Ct. LU1-5G 21
Hampshire Way. LU3-3B 6
Hampton Rd. LU4-4F 13
Hancock Dri. LU2-6J 7
Handcross Rd. LU2-2D 14
Hanover Ct. LU4-7B 6
Hanover Pl. MK45-1C 24
Hanswick Clo. LU2-3B 14
Hanworth Clo. LU2-5H 7
Harbury Dell. LU3-5F 7
Harcourt St. LU1-1J 21
Harding Clo. LU3-5C 6
Hardwick Grn. LU3-5E 6
Harefield Rd. LU1-5D 12
Harlestone Clo. LU3-3E 6
Harling Rd. LU6-6G 17
Harlington Rd. LU3-5K 3
Harlington Rd. LU3-7K 3
Harlington Rd. LU5-4C 2
Harlington Rd. LU5 & MK45-1J 3
Harold Rd. MK45-2C 24
Harrington Heights. LU5-7C 4
Harris La. LU2-1A 14
Harrowden Ct. LU2-5B 14
Harrowden Rd. LU2-5B 14
Hart Hill Dri. LU2-5K 13
Hart Hill La. LU2-5K 13
Hart Hill Path. LU2-5K 13
Hart La. LU2-4A 14
Hartley Rd. LU2-5K 13
Hartop Ct. LU2-5D 14

Hartsfield Rd. LU2-3A 14
Hart Wlk. LU2-4A 14
Harvest Clo. LU4-2J 11
Harvey Rd. LU3-6K 17
Harvey's Hill. LU2-7K 7
Hasketon Dri. LU4-6K 5
Hastings Rd. MK45-2C 24
Hastings St. LU1-7H 13
Hathaway Clo. LU4-3K 11
Hatters Way. LU4-4K 11
Havelock Rise. LU2-4J 13
Havelock Rd. LU2-4J 13
Haverdale. LU4-1A 12
Hawkfields. LU2-6J 7
Hawthorn Av. LU2-1B 14
Hawthorn Clo. LU6-6E 10
Hawthorn Cres. LU1-3C 20
Hayes Clo. LU2-7B 8
Hayhurst Rd. LU4-3K 11
Hayley Ct. LU5-6E 4
Hayling Dri. LU2-2D 14
Haymarket Rd. LU4-1G 11
Hayton Clo. LU3-2F 7
Hazelbury Cres. LU1-5G 13
Hazelwood Clo. LU2-1B 14
Heacham Clo. LU4-1K 11
Heath Clo. LU1-7F 13
Heather Mead. LU6-5E 16
Heathfield Clo. LU1-2D 20
Heathfield Path. LU1-2D 20
Heathfield Rd. LU3-1G 13
Heath Rd. SG4-4K 15
Heath, The. SG4-4K 15
Heaton Dell. LU2-4E 14
Hebden Clo. LU4-1K 11
Hedley Rise. LU2-3E 14
Helmsley Clo. LU4-7A 6
Hemingford Dri. LU2-6H 7
Henge Way. LU3-5B 6
Henley Clo. LU5-7G 5
Henstead Pl. LU2-4D 14
Hereford Rd. LU4-2J 11
Herne Clo. LU5-4B 2
Heron Dri. LU2-6J 7
Heron Trading Est., The. LU3
                         -5A 6
Heswall Ct. LU1-7K 13
  (off Bailey St.)
Hewlett Rd. LU3-7C 6
Hexton Rd. LU2-1B 8
Hexton Rd. MK45-3C 24
Heywood Clo. LU2-3K 13
Hibbert St. LU1-7J 13
Hibbert St. Pas. LU1-7J 13
  (off Hibbert St.)
Hickling Clo. LU2-4D 14
Hickman Ct. LU3-4B 6
Higham Dri. LU2-4D 14
Higham Rd. MK45-1C 24
High Beech Rd. LU3-5B 6
Highbury Rd. LU3-4G 13
Highfield Rd. LU4-4F 13
Highfields Clo. LU5-3J 11
High Mead. LU3-3F 7
Highover Clo. LU2-4B 14
High Ridge. LU2-4C 14
High St. Eaton Bray, LU6-4D 16
High St. Edlesborough, LU6-7E 16
High St. Great Offley, SG5-1J 9
High St. Houghton Regis, LU5
                        -1D 10
High St. Luton, LU4-2A 12
High St. N. LU6-3B 10
High St. S. LU6-5D 10
High St. Toddington, LU5-6B 2
High Town Rd. LU2-5J 13
High Wood Clo. LU1-6D 12
Hillary Clo. LU3-5B 6
Hillary Cres. LU1-7G 13
Hillborough Cres. LU5-5E 4
Hillborough Rd. LU1-7H 13
Hill Clo. LU3-5G 7
Hill Clo. LU7-3A 4
Hillcrest Av. LU2-4G 7
Hillcrest Caravan Pk. LU1-4D 20
Hillcroft. LU6-4A 10
Hillcroft Clo. LU4-6A 6
Hill Rise. LU3-5A 6
Hill Side. LU5-7D 4

Hillside Rd. LU3-4H 13
Hillside Rd. LU5-6F 11
Hilltop Ct. LU1-6G 13
Hillview Cres. LU2-5G 7
Hillyfields. LU6-7E 10
Hilton Av. LU6-7D 10
Hinton Wlk. LU5-6G 5
Hitchin Rd. LU2-2A 14
Hitchin Rd. Ind. Est. LU2-4K 13
  (off Hitchin Rd.)
Hockwell Ring. LU4-7K 5
Holford Clo. LU1-1H 21
Holford Way. LU3-3F 7
Holgate Dri. LU4-2K 11
Holkham Clo. LU4-1J 11
Holland Rd. LU3-3F 13
Hollick's La. LU6-5F 19
Holliwick Rd. LU5-3G 11
Hollybush Hill. LU2-3F 9
Hollybush Rd. LU2-3F 9
Holly Farm Clo. LU1-3C 20
Holly St. LU1-7J 13
Holly St. Trading Est. LU1-7J 13
Holmbrook Av. LU3-7G 7
Holmfield Clo. LU5-6A 2
Holmscroft Rd. LU3-6D 6
Holmwood Clo. LU5-3F 11
Holts Ct. LU6-4D 10
Holtsmere Clo. LU2-4D 14
Holywell Clo. LU3-1F 13
Holywell Rd. LU6-7D 18
Home Clo. LU4-1A 12
Home Ct. LU4-1A 12
Homedale Dri. LU4-3B 12
Homerton Rd. LU3-6E 6
Homestead Way. LU1-1G 21
Honeygate. LU2-1J 13
Honeywick La. LU6-2E 16
Hookers Ct. LU4-7A 6
  (off Acworth Cres.)
Horace Brightman Clo. LU3-5E 6
Hornsby Clo. LU2-4C 14
Horsham Clo. LU2-3D 14
Houghton St. LU5-1E 10
Houghton Pde. LU6-3C 10
Houghton Pk. Rd. LU5-6G 5
Houghton Rd. LU6 & LU5-3C 10
Howard Clo. LU3-1E 12
Howard Pl. LU5-6F 11
Hoylake Ct. LU1-1K 21
Huckleberry Clo. LU3-4E 6
Humberstone Clo. LU4-3C 12
Humberstone Rd. LU4-3C 12
Humphreys Rd. LU5-2F 11
Humphrey Talbot Av. LU6-7B 18
Hunston Clo. LU4-7K 5
Hunts Clo. LU1-7G 13
Hurlock Way. LU4-7A 6
Hurst Way. LU3-7C 6
Hyde La. LU2-4H 23
Hyde Rd. LU1-2C 20
Hyde, The. LU5-7B 2

Ickley Clo. LU4-7K 5
Icknield Rd. LU3-1D 12
Icknield St. LU6-5D 10
Icknield Way. LU3-6E 6
Idenbury Ct. LU1-6G 13
Ilford Clo. LU2-2C 14
Imberfield. LU4-2A 12
Ingleton. LU4-1K 11
Ingram Gdns. LU2-5H 7
Inkerman St. LU1-6H 13
Isle of Wight La. LU6-2B 18
Ivel Clo. MK45-2D 24
Ivy Clo. LU6-4A 10
Ivy Rd. LU1-5J 13
Iwinghoe Bus. Cen. LU5-2D 10

Jacksons Clo. LU6-6E 16
James Ct. LU4-3K 11
Jardine Way. LU5-6G 11
Jasmine Clo. LU2-3F 15
Jaywood. LU2-6C 8
Jeans Way. LU5-5G 11
Jersey Rd. LU4-2J 11
Jillifer Rd. LU4-2J 11
Johnson Ct. LU5-7F 5
John St. LU1-6J 13

Jubilee St. LU2-4K 13
Julius Gdns. LU3-5D 6
Juniper Clo. LU4-3C 12

Katherine Dri. LU5-3G 11
Keaton Clo. LU5-7F 5
Keeble Clo. LU2-4E 14
Keepers Clo. LU2-3C 14
Kelling Clo. LU2-4G 7
Kelvin Clo. LU1-7J 13
Kempsey Clo. LU2-3D 14
Kendal Clo. LU3-5B 6
Kendale Rd. LU4-3K 11
Kenilworth Rd. LU1-5G 13
Kenneth Clo. LU2-4A 14
Kennington Rd. LU3-2F 13
Kensington Clo. LU5-1G 11
Kensworth Ho. LU6-4J 19
Kent Rd. LU1-5D 12
Kent Rd. LU5-6F 5
Kentwick Sq. LU5-5F 5
Kershaw Clo. LU3-4E 6
Kestrel Way. LU4-7J 5
Keswick Clo. LU6-6D 10
Ketton Clo. LU2-6A 14
Ketton Ct. LU2-6A 14
Keymer Clo. LU2-2C 14
Kidner Clo. LU2-7J 7
Kilmarnock Dri. LU2-7J 7
Kimberley Clo. LU4-2G 11
Kimberwell Clo. LU5-7B 2
Kimpton La. LU2-6D 14
Kimpton Rd. LU1 & LU2-7A 14
Kimpton Rd. LU2 & SG4-3J 23
Kingham Way. LU2-4J 13
Kingsbury Av. LU5-4G 11
Kingsbury Ct. LU5-4E 10
Kingsbury Gdns. LU5-4H 11
Kings Ct. LU5-4E 10
Kingscroft Av. LU5-4D 10
Kingsdown Av. LU2-1H 13
Kingsland Ct. LU1-7K 13
  (off Kingsland Rd.)
Kingsland Rd. LU1-7K 13
Kingsley Rd. LU3-7E 6
Kings Mead. LU6-7E 16
Kingsmead Ct. LU3-3C 10
Kingston Rd. LU2-4K 13
King St. LU1-6J 13
King St. LU5-1D 10
King St. LU5-5E 10
King's Waldon Rd. SG5-2J 9
Kingsway. LU4-4E 12
Kingsway. LU5-4E 10
Kingsway Ind. Est. LU1-5E 12
King William Clo. MK45-1D 24
Kinmore Clo. LU3-3B 6
Kinross Cres. LU3-4A 6
Kirby Dri. LU3-3D 6
Kirby Rd. LU6-5C 10
Kirkdale Ct. LU1-7J 13
  (off Albert Rd.)
Kirkstone Dri. LU6-7D 10
Kirkwood Rd. LU4-2G 11
Kirton Way. LU5-6G 5
Knights Clo. LU6-5E 16
Knights Ct. LU6-5E 16
Knights Field. LU2-4H 13
Knoll Rise. LU2-1J 13
Knolls View. LU6-1F 17
Knotts Clo. LU6-1E 18
Kynance Clo. LU2-2A 14

Laburnum Clo. LU3-5G 7
Laburnum Gro. LU3-5F 7
Lachbury Clo. LU1-7E 12
Ladyhill. LU4-6K 5
Lady Yules Wlk. LU6-6A 18
Lakefield Av. LU5-6B 2
Lalleford Rd. LU2-4C 14
Lambs Clo. LU5-4H 11
Lamers Rd. LU2-3B 14
Lamorna Clo. LU3-6D 6
Lancaster Av. LU2-4G 7
Lancaster Clo. MK45-1D 24
Lancing Rd. LU2-2D 14
Lancot Av. LU6-6A 10
Lancotbury Clo. LU6-3J 17
Lancot Dri. LU6-5B 10

Lancrets Path. LU1-6H 13
Landrace Rd. LU4-1G 11
Lane, The. LU4-3G 5
Langdale Clo. LU6-6E 10
Langdale Clo. LU6-6D 10
Langdale Rd. LU6-7E 10
Langford Dri. LU2-2A 14
Langham Clo. LU2-5H 7
Langley St. LU1-7J 13
Langley Ter. Ind. Pk. LU1-7J 13
  (off Latimer Rd.)
Langridge Ct. LU6-4B 10
Lansdowne Rd. LU3-4G 13
Laporte Way. LU4-4D 12
Lapwing Rd. LU4-1J 11
Larches, The. LU2-4H 13
Larkspur Gdns. LU4-3D 12
Latimer Rd. LU1-7J 13
Launton Clo. LU3-3F 7
Laurelside Wlk. LU5-3J 11
Laurels, The. LU4-1B 12
Lawford Clo. LU1-6G 13
Lawn Gdns. LU1-1H 21
Lawn Path. LU1-3G 21
Lawns Clo. SG5-2J 9
Lawns, The. LU5-4D 10
Lawrence End Rd. LU2-3J 23
Lawrence Way. LU6-3B 10
Laxton Clo. LU2-4E 14
Layham Dri. LU2-4D 14
Lea Bank. LU3-6C 6
  (off Penhill)
Lea Bank Ct. LU3-6C 6
Leafield. LU3-6C 6
Leafields. LU5-6E 4
Leaf Rd. LU5-6D 4
Leagrave High St. LU4-2H 11
Leagrave Rd. LU3 & LU4-2E 12
Leamington Rd. LU3-5E 6
Lea Rd. LU1-6K 13
Leaside. LU5-6G 5
Leathwaite Clo. LU3-6D 6
Ledwell Rd. LU1-3D 20
Leghorn Cres. LU4-2J 11
Leicester Rd. LU4-4C 12
Leigh Clo. LU5-5B 2
Leighton Clo. LU6-5C 10
Leighton Rd. LU5-6A 2
Leighton Rd. LU6-4A 16
Lennon Ct. LU1-6H 13
Lennox Grn. LU2-3F 15
Lesbury Clo. LU2-4E 14
Leston Clo. LU6-1F 19
Letchworth Rd. LU3-1E 12
Lewsey Pk. Ct. LU4-1J 11
Lewsey Rd. LU4-2K 11
Leyburne Rd. LU3-6F 7
Leygreen Clo. LU2-5A 14
Leyhill Dri. LU1-2F 21
Library Rd. LU1-6J 13
Liddel Clo. LU3-2F 13
Lidgate Clo. LU4-4D 12
Lighthorne Rise. LU3-4E 6
Lilac Gro. LU3-3A 6
Lilley Bottom. LU2 & SG4-3E 8
Limbury Mead. LU3-6D 6
Limbury Rd. LU3-1D 12
Lime Av. LU4-2K 11
Lime Clo. MK45-2C 24
Limetree Av. LU1-7A 22
Lime Tree Clo. LU3-3A 6
Lime Wlk. LU5-5F 11
Linacres. LU4-1B 12
Linbridge Way. LU2-3E 14
Lincoln Clo. LU5-1G 19
Lincoln Rd. LU4-4F 13
Lincoln Way. LU5-1H 3
Linden Clo. LU5-4H 11
Linden Ct. LU2-6K 13
  (off Crescent Rd.)
Linden Rd. LU4-1B 12
Linden Rd. LU4-1C 12
Linden Rd. LU5-3H 11
Lindens, The. LU5-1D 10
Lindsey Rd. LU2-4D 14
Links Way. LU2-4H 7
Link, The. LU5-7D 4
Linley Dell. LU2-3D 14
Linmere Wlk. LU5-6G 5
Linnet Clo. LU4-1J 11
Lippitts Hill. LU2-7J 7

Liscombe Rd. LU5-4G 11
Liston Clo. LU4-7K 5
Lit. Berries. LU3-5C 6
Lit. Church Rd. LU2-2B 14
Littlefield Rd. LU2-2B 14
Littlegreen La. LU1-4C 20
Lit. Meadow Caravan Pk. LU1
                          -3E 20
Lit. Wood Croft. LU3-5C 6
Liverpool Rd. LU1-6H 13
Locarno Av. LU4-6A 6
Lockhart Clo. LU6-7G 11
Lockington Cres. LU5-3G 11
Loftus Clo. LU4-2K 11
Lollard Clo. LU4-2G 11
London Rd. LU1-1H 21
London Rd. LU6-6F 11
Longbrooke. LU5-1F 11
Long Clo. LU2-2C 14
Long Croft Rd. LU1-6E 12
Longfield Dri. LU4-4B 12
Long Hedge. LU5-7G 5
Long La. LU5 & MK17-4B 2
Long Mead. LU5-6D 4
Longmeadow. LU5-7G 5
Long Meadow. LU6-5C 10
Lonsdale Clo. LU3-7E 6
Lorimer Clo. LU2-6J 7
Loring Rd. LU6-4B 10
Lothair Rd. LU2-1A 14
Lovers Wlk. LU5-5E 10
Lovett Way. LU5-2F 11
Lwr. Harpenden Rd. LU1 & LU2
                          -1B 22
Lowry Dri. LU5-7F 5
Lowther Rd. LU6-7E 10
Lucas Gdns. LU3-4F 7
Lucerne Way. LU3-1G 13
Ludlow Av. LU1-2J 21
Ludun Clo. LU5-5G 11
Lullington Clo. LU2-2C 14
Luton Dri., The. LU1-2B 22
Luton International Airport. LU2
                          -6E 14
Luton Rd. AL3-7C 20
Luton Rd. LU1-2C 20
Luton Rd. LU2-2E 14
Luton Rd. LU3 & MK45-7A 24
Luton Rd. LU5 & LU4-5C 2
Luton Rd. LU5-4F 11
Luton Rd. SG5-2G 9
Luton White Hill. LU2 & SG5
                          -4G 9
Luxembourg Clo. LU3-4B 6
Lye Hill. SG4-6K 15
Lygetun Dri. LU3-6C 6
Lynch Hill. LU6-6H 19
Lynch, The. LU6-5J 19
Lyndhurst Rd. LU1-6G 13
Lyneham Rd. LU2-4C 14
Lynwood Av. LU2-2K 13

Macaulay Rd. LU4-3J 11
Magpies, The. LU2-6J 7
Maidenbower Av. LU6-4B 10
Maidenhall Rd. LU4-3E 12
Malham Clo. LU4-3D 12
Mallard Gdns. LU3-7E 6
Mallows, The. LU3-2D 12
Mall, The. LU5-4E 10
Malthouse Grn. LU2-4F 15
Maltings, The. LU6-4C 10
Malvern Rd. LU1-6F 13
Malzeard Ct. LU3-4H 13
  (off Malzeard Rd.)
Malzeard Rd. LU3-4H 13
Manchester Pl. LU6-4D 10
Manchester St. LU1-6J 13
Mancroft Rd. LU1-3B 20
Mancroft Rd. LU1-5E 20
Mander Clo. LU5-5B 2
Mangrove Rd. LU2-2B 14
Mangrove Rd. LU2-1E 14
Manor Clo. LU5-1H 3
Manor Clo. LU5-1D 10
Manor Ct. LU1-2D 20
Manor Farm Clo. LU4-2A 12
Manor Pk. LU5-1D 10
Manor Rd. LU1-2C 20
Manor Rd. LU1-7K 13

Manor Rd. LU3-1K 5
Manor Rd. LU5-4B 2
Manor Rd. MK45-2C 24
Mansfield Rd. LU4-4F 13
Manshead Ct. LU5-7G 11
Manton Dri. LU2-1H 13
Maple Rd. E. LU4-5F 13
Maple Rd. W. LU4-5F 13
Maple Way. LU5-6G 5
Maple Way. LU6-6G 19
Mardale Av. LU6-7E 10
Marina Dri. LU6-6A 10
Market Sq. LU1-7F 13
Market Sq. LU5-5B 2
Market Sq. LU6-4D 16
Markfield Clo. LU3-3G 7
Markham Cres. LU5-3G 11
Markham Rd. LU3-4G 7
Markyate Rd. LU1-6E 20
Marlborough Path. LU3-4H 13
Marlborough Pl. LU5-5B 2
Marlborough Rd. LU3-4G 13
Marlin Ct. LU4-1G 11
Marlin Rd. LU4-1G 11
Marriott Rd. LU3-6F 7
Marshall Rd. LU2-3C 14
Marsh Rd. LU3-7C 6
Marsom Gro. LU3-4F 7
Marston Gdns. LU2-1H 13
Mary Brash Ct. LU2-2C 14
  (off Lullington Clo.)
Maryport Rd. LU4-3E 12
Masters Clo. LU1 & LU2
                          -1B 22
Matlock Cres. LU4-4A 12
Matthew St. LU6-5D 10
Maulden Clo. LU2-4C 14
Maundsey Clo. LU6-1E 18
May Clo. LU6-4E 16
Mayfield Rd. LU2-1B 14
Mayfield Rd. LU5-7F 11
Mayne Av. LU4-7A 6
May St. LU1-1J 21
Meadow Croft. LU1-2D 20
Meadow La. LU5-7D 4
Meadow Rd. LU3-1F 13
Meadow Rd. LU5-5A 2
Meadow Way. LU1-2C 20
Meadow Way. SG5-1J 9
Meads Clo. LU5-7D 4
Meads, The. LU3-2E 12
Meads, The. LU4-6E 16
Meadway. LU6-6B 10
Medina Rd. LU4-4E 12
Medley Clo. LU6-5F 17
Mees Clo. LU3-3D 6
Melford Clo. LU2-4D 14
Melson Sq. LU1-6J 13
  (off Arndale Cen.)
Melson St. LU1-6J 13
Melton Clo. LU6-6B 10
Melton Wlk. LU5-6G 5
Memorial Ct. LU3-1D 12
  (off Marsh Rd.)
Memorial Rd. LU3-1D 12
Mendip Way. LU3-3A 6
Mentmore Cres. LU6-1E 18
Mersey Pl. LU1-6H 13
Meyrick Av. LU1-7G 13
Meyrick Ct. LU1-7G 13
Middleton Rd. LU2-1D 14
Midhurst Gdns. LU3-1G 13
Midland Rd. LU2-5J 13
Milburn Clo. LU3-3F 7
Miletree Cres. LU4-7F 11
Mill End Clo. LU6-6F 17
Millers Lay. LU5-3H 11
Millfield La. LU1-3A 20
Millfield Rd. LU3-2E 12
Millfield Way. LU1-3B 20
Milliners Way. LU3-4G 13
Million Clo. LU2-7B 8
Mill La. MK45-2B 24
Mill Rd. LU5-1C 10
Mill St. LU1-5H 13
Millway. SG4-3K 15
Milner Ct. LU2-5J 13
Milton Rd. LU1-7G 13
Milton Way. LU1-7G 13
Milverton Grn. LU3-5E 6
Minorca Way. LU4-2J 11

Miss Joans Ride. LU6-7A 18
Mistletoe Hill. LU2-5C 14
Mixes Hill Rd. LU2-2K 13
Moakes, The. LU3-4C 6
Moat La. LU3-1F 13
Mobley Grn. LU2-2B 14
Moira Clo. LU3-6B 6
Monks Clo. LU5-4G 11
Monmouth Clo. LU5-5A 2
Monmouth Rd. LU5-1H 3
Montague Av. LU4-6A 6
Monton Clo. LU3-6D 6
Montrose Av. LU3-2F 13
Moor End. LU6-6F 17
Moor End Clo. LU6-6F 17
Moor End La. LU6-5F 17
Moorland Gdns. LU2-5H 13
Moor Path. LU3-5H 13
Moor St. LU1-5G 13
Morcom Rd. LU5-7G 11
Moreton Rd. N. LU2-3A 14
Morland Clo. LU6-7C 10
Morrell Clo. LU3-5E 6
Morris Clo. LU3-4C 6
(in two parts)
Mortimer La. LU1-6D 12
Morton Rd. S. LU2-3A 14
Mossbank Av. LU2-5C 14
Mostyn Rd. LU3-1C 12
Moulton Rise. LU2-5K 13
Mountfield Path. LU2-3J 13
Mountfield Rd. LU2-3J 13
Mt. Grace Rd. LU2-6C 8
Mt. Pleasant Av. LU5-7B 2
Mt. Pleasant Clo. LU5-7B 2
Mt. Pleasant Rd. LU3-7C 6
Mount, The. LU3-5H 13
(off New Bedford Rd.)
Mountview Av. LU5-7G 11
Moxes Wood. LU3-5C 6
Muirfield. LU2-6J 7
Mulberry Clo. LU1-6F 13
Mussons Path. LU2-5J 13
Muswell Clo. LU3-6F 7
Mutford Croft. LU2-4D 14

Napier Rd. LU1-6H 13
Nappsbury Rd. LU4-7B 6
Naseby Rd. LU1-6F 13
Nash Clo. LU5-7F 5
Nayland Clo. LU2-4E 14
Needham Rd. LU4-6K 5
Neptune Clo. LU5-6G 5
(off Parkside Dri.)
Neptune Sq. LU5-6G 5
Nethercott Clo. LU2-4C 14
Neville Rd. LU3-7E 6
Neville Rd. Pas. LU3-7E 6
Newark Rd. LU4-3E 12
Newark Rd. Path. LU4-3E 12
New Bedford Rd. LU1-5H 13
New Bedford Rd. LU3-6G 7
Newbold Rd. LU3-5F 7
Newbury Clo. LU4-3C 12
Newbury Rd. LU5-6G 5
Newcombe Rd. LU1-6G 13
Newlands Rd. LU1-2F 21
Newnham Clo. LU2-4D 14
New St. LU1-5G 21
New St. LU1-7H 13
Newtondale. LU4-7A 6
New Town Rd. LU1-7J 13
New Woodfield Grn. LU5-7G 11
Nicholas Way. LU6-5D 10
Nicholls Clo. LU2-3C 14
Nicholls Clo. MK45-2C 24
Nightingale Clo. LU2-6C 8
Ninfield Ct. LU2-2C 14
(off Telscombe Way)
Ninth Av. LU3-5B 6
Norcott Clo. LU5-6F 11
Norfolk Av. LU2-6A 14
Norfolk Rd. LU5-7H 11
Norman Rd. LU3-3F 13
Norman Rd. MK45-1C 24
Norman Way. LU6-5A 10
Northall Clo. LU6-4D 16
Northall Rd. LU6-5D 16
Northcliffe. LU6-4E 16
N. Drift Way. LU1-7F 13

Northfields. LU5-2C 10
N. Luton Ind. Est. LU4-5K 5
North St. LU2-5J 13
Northview Rd. LU2-3K 13
Northview Rd. LU5-3C 10
Northwell Dri. LU3-3C 6
Norton Rd. LU3-1D 12
Nunnery La. LU3-7F 7
Nurseries, The. LU6-4E 16
Nursery Pde. LU3-7C 6
Nursery Rd. LU3-7D 6
Nymans Clo. LU2-2D 14

Oak Clo. LU5-2H 3
Oak Clo. LU5-5F 11
Oakley Clo. LU4-1B 12
Oakley Rd. LU4-1B 12
Oak Rd. LU4-5F 13
Oakway. LU6-7D 18
Oakwell Clo. LU6-6B 10
Oakwood Av. LU5-6G 11
Oakwood Dri. LU3-4A 6
Oatfield Clo. LU4-1H 11
Offley Hill. SG5-1J 9
Old Bedford Rd. LU2-6H 7
Oldhill. LU6-7E 10
Old Orchard. LU1-1H 21
Old Rd. MK45-3C 24
Old School Wlk. LU1-5G 21
Olma Rd. LU3-3C 10
Olympic Clo. LU3-3C 6
(in three parts)
Onslow Rd. LU4-7B 6
Orchard Clo. LU5-5B 2
Orchard Clo. LU5-2D 10
Orchard Clo. MK45-4C 24
Orchard End. LU6-6E 16
Orchards, The. LU6-3D 16
Orchard Way. LU4-1A 12
Orchard Way. LU6-5F 17
Orchid Clo. LU6-4A 10
Oregon Way. LU3-4E 6
Ormsby Clo. LU1-1J 21
Orpington Clo. LU4-2J 11
Osborne Ct. LU1-1K 21
Osborne Rd. LU1-7K 13
Osborne Rd. LU6-6D 10
Osborn Rd. MK45-2C 24
Osprey Wlk. LU4-7J 5
Ouseley Way. LU6-6A 18
Overfield Rd. LU2-4C 14
Overstone Rd. LU4-4B 12
Oving Clo. LU2-3D 14
Oxen Rd. LU2-4K 13
Oxford Rd. LU1-7J 13

Paddock Clo. LU4-1H 11
Palma Clo. LU6-2B 10
Parade, The. LU6-4C 10
Park Av. LU3-5A 6
Park Av. LU5-7E 4
Park Av. LU6-2H 17
Park Av. Trading Est. LU3-5A 6
Park Hill. LU5-4B 2
Parkland Dri. LU1-1H 21
Park La. LU6-4D 16
Park Leys. LU5-2H 3
Parkmead. LU1-7K 13
(off Park St.)
Park Rd. LU5-4A 2
Park Rd. LU5-6F 11
Park Rd. N. LU5-7E 4
Parkside Clo. LU5-7F 5
Parkside Dri. LU5-6F 5
Parkside Dri. LU5-7E 4
Parkside Dri. LU5-7F 5
Parkside Flats. LU5-5E 10
Park Sq. LU1-6J 13
Park St. LU1-6J 13
Park St. LU6-4C 10
Park St. W. LU1-7J 13
Park Viaduct. LU1-7J 13
Partridge Clo. LU4-7J 5
Parys Rd. LU3-6F 7
Pascomb Rd. LU6-5B 10
Pastures, The. LU6-7F 17
Pastures Way. LU4-7H 5
Patterdale Clo. LU6-6D 10
Peach Ct. LU1-7K 13

Peartree Clo. LU5-6A 2
Peartree Rd. LU2-1C 14
Pebblemoor. LU6-7E 16
Peel Pl. LU1-6H 13
Peel St. LU1-6H 13
Peel St. LU5-7D 4
Pegsdon Clo. LU3-5F 7
Pembroke Av. LU4-2C 12
Penda Clo. LU3-6D 6
Penhill. LU3-6C 6
Pennine Av. LU3-4A 6
Penrith Av. LU6-6D 10
Pepsal End Rd. LU1-7G 21
Percheron Dri. LU4-2J 11
Percival Way. LU2-6C 14
Peregrine Rd. LU4-1J 11
Periwinkle La. LU6-6E 10
Perrymead. LU2-3F 15
Petard Clo. LU4-3J 11
Petersfield Gdns. LU3-3C 6
Petropolis Ho. LU6-5D 10
Pevensey Clo. LU2-1D 14
Piggotts La. LU4-1B 12
Pilgrims Clo. LU5-3H 3
Pinewood Clo. LU3-3A 6
Pinford Dell. LU2-4D 14
Pipers Croft. LU6-6B 10
Pipers La. LU1-6C 20
Pirton Rd. LU4-7A 6
Plaiters Way. LU5-7C 4
Plantation Rd. LU3-5B 6
Platz Ho. LU5-7F 5
Playford Sq. LU4-7B 6
Plewes Clo. LU6-6G 19
Plough Clo. LU4-1G 11
Plough Clo. LU4-1G 11
(off Plough Clo.)
Plummers La. LU2 & AL5-4J 23
Plumpton Clo. LU2-2D 14
Plymouth Clo. LU2-4B 14
Poets Grn. LU4-3J 11
Polegate. LU2-3D 14
Polzeath Clo. LU2-5C 14
Pomeroy Gro. LU2-7J 7
Pomfret Av. LU2-5K 13
Pond Clo. LU4-7K 5
Pondwicks Rd. LU1-6K 13
Poplar Rd. LU3-4G 7
Poplar Rd. LU6-6G 19
Poplars Clo. LU2-2B 14
Porlock Dri. LU2-4C 14
Portland Clo. LU5-2D 10
Portland Rd. LU4-4E 12
Porz Av. LU5-2E 10
Pottery Clo. LU3-5D 6
Power Ct. LU1-6K 13
Poynters Rd. LU5 & LU4-2G 11
Prebendal Dri. LU1-4F 21
Prentice Way. LU2-6D 14
President Way. LU2-5D 14
Preston Gdns. LU2-3K 13
Preston Path. LU2-3K 13
Preston Rd. LU5-6C 2
Prestwick Clo. LU2-7J 7
Priestleys. LU1-6E 12
Primrose Ct. LU6-5C 10
Princess Ct. LU5-4E 10
Princess St. LU1-6H 13
Princes St. LU5-6B 2
Princes St. LU6-5C 10
Prince Way. LU2-5D 14
Printers Way. LU6-3D 10
Priory Gdns. LU2-1H 13
Priory Rd. LU5-5E 10
Proctor Way. LU2-6C 14
Progress Way. LU4-6K 5
Provost Way. LU2-5C 14
Prudence Clo. LU5-2G 3
Purcell Rd. LU4-1H 11
Purway Clo. LU5-3C 6
Putteridge Pde. LU2-1C 14
Putteridge Rd. LU2-1B 14
Pyghtle Ct. LU1-6E 12
Pyghtle, The. LU1-6E 12
Pynders La. LU5-3G 11
Pytchley Clo. LU2-7J 7

Quadrant, The. LU5-7E 4
Quantock Clo. LU3-4F 7
Quantock Ct. LU3-4F 7

Quantock Rise. LU3-4F 7
Queens Clo. LU1-7K 13
Queens Clo. LU1-7J 13
(off Chobham Wlk.)
Queens Clo. LU6-4D 10
Queen St. LU5-1D 10
Queens Way. LU5-4D 10
Queens Way Pde. LU5-4D 10
Quickswood. LU3-5E 6
Quilter Clo. LU3-1D 12

Radburn Ct. LU6-4C 10
Radnor Rd. LU4-1H 11
Radstone Pl. LU2-4F 15
Raglan Clo. LU4-2H 11
Raleigh Gro. LU4-4B 12
Ramridge Rd. LU2-3A 14
Ramsey Clo. LU4-2H 11
Ramsey Ct. LU4-2H 11
Ramsey Rd. MK45-2C 24
Ranock Clo. LU3-4B 6
Rapper Ct. LU3-5G 13
Ravenbank Rd. LU2-7C 8
Ravenhill Way. LU4-7J 5
Ravenscourt. LU6-2B 10
Ravensthorpe. LU2-1B 14
Ravensyard Clo. LU2-2B 14
Raynham Way. LU2-4D 14
Readers Clo. LU6-3C 10
Reaper Clo. LU4-1G 11
Recreation Rd. LU5-6E 4
Redferns Clo. LU1-7E 12
Redferns Ct. LU1-7E 12
Redfield Clo. LU6-5A 10
Redgrave Gdns. LU3-4D 6
Red Ho. Ct. LU5-1E 10
Redmire Clo. LU4-6K 5
Red Rails. LU1-1G 21
Red Rails Ct. LU1-1G 21
Redwood Dri. LU3-4A 6
Reeds Dale. LU2-3F 15
Reeves Av. LU3-1F 13
Regency Ct. LU6-6E 10
Regent St. LU1-6H 13
Regent St. LU6-4D 10
Reginald St. LU2-4H 13
Regis Rd. LU4-1G 11
Renshaw Clo. LU3-2E 14
Repton Clo. LU3-6C 6
Retreat, The. LU5-4A 2
Ribocon Way. LU4-5K 5
Richards Clo. LU1-7F 13
Richards Ct. LU1-7F 13
Richard St. LU5-5E 10
Richmond Clo. LU2-4K 13
Richmond Hill. LU2-3K 13
Richmond Hill Path. LU2-3K 13
(off Richmond Hill)
Riddy La. LU3-7F 7
Ride, The. LU6-4H 17
Ridge Ct. LU2-4A 14
Ridgeway. LU6-6G 19
Ridgeway Av. LU3-3F 11
Ridgeway Dri. LU5-4G 11
Ridgeway Rd. LU2-4J 13
Ridings, The. LU2-4J 13
Ringmere Ct. LU2-2C 14
(off Telscombe Way)
Ringwood Rd. LU2-5H 7
Ripley Rd. LU4-4A 12
Riverside Rd. LU3-7E 6
River Way. LU3-7C 6
Robert Allen Ct. LU1-7J 13
(off Langley St.)
Robinson Cres. LU5-1H 3
Robinswood. LU2-7J 7
Rochdale Ct. LU1-7J 13
(off Albert Rd.)
Rochester Av. LU2-4K 13
Rochford Dri. LU2-3E 14
Rockley Rd. LU1-7E 12
Rodeheath. LU4-2B 12
Rodney Clo. LU4-2H 11
Roebuck Clo. LU1-7F 13
Roedean Clo. LU2-2D 14
Rogate Rd. LU2-7C 8
Roman Gdns. LU5-1D 10
Roman Rd. LU4 & LU3-2C 12
Roman Rd. MK45-2D 24
Rondini Av. LU3-2F 13

Rookery Dri. LU2-6J 7
Rosedale. LU5-7G 5
Rosedale Clo. LU3-5A 6
Rose Wlk. LU5-6B 2
Rose Wlk. LU5-6G 5
Rose Wood Clo. LU2-3K 13
Roslyn Way. LU5-7C 4
Ross Clo. LU1-7F 13
Rossfold Rd. LU3-4B 6
Rosslyn Cres. LU3-7G 7
Rossway. LU1-5F 21
Rossway St. LU1-5G 21
Rotherfield. LU2-2D 14
Rotherham Av. LU1-1F 21
Rotherwood Clo. LU6-4A 10
Rothesay Rd. LU1-6H 13
Rowan Clo. LU1-6F 13
Rowell Field. LU2-4C 14
Rowington Clo. LU2-3E 14
Royale Wlk. LU6-6E 10
Royce Clo. LU6-6B 10
Roydon Clo. LU4-1J 11
Rudyard Clo. LU4-2B 12
Rueley Dell Rd. LU2-2D 8
Runfold Av. LU3-7E 6
Runham Clo. LU4-1K 11
Runley Rd. LU1-5C 12
Rushall Grn. LU2-3D 14
Rushmore Clo. LU1-1C 20
Russell Clo. LU6-6G 19
Russell Rise. LU1-7H 13
Russell Rd. LU5-6B 2
Russell St. LU1-7H 13
Ruthin Clo. LU1-1H 21
Rutland Ct. LU2-6A 14
Rutland Cres. LU2-6A 14
Rutland Path. LU2-6A 14
Rydal Way. LU3-7D 6
Ryecroft Way. LU2-2A 14
Ryefield. LU3-3E 6
Rye, The. LU7 & LU6-1A 16
Rylands Heath. LU2-3F 15
Ryton Clo. LU1-6F 13

Sacombe Grn. LU3-3F 7
St Alders Ct. LU3-2F 13
St Andrews Clo. LU1-5F 21
St Andrews La. LU5-7E 4
St Andrews Wlk. LU1-5G 21
St Ann's La. LU1-6J 13
St Augustine Av. LU3-2F 13
St Bernard's Clo. LU3-2G 13
St Catherine's Av. LU3-1F 13
St Christopher's Clo. LU5-4H 11
St David's Way. LU5-6F 5
(off Kent Rd.)
St Dominics Sq. LU4-1H 11
(off Tomlinson Av.)
St Ethelbert Av. LU3-1F 13
St Georges Clo. LU5-5B 2
St George's Sq. LU1-6J 13
St Giles Clo. LU6-4H 17
St Ives Clo. LU3-2F 13
St James Rd. LU3-2F 13
St James's Clo. LU5-1G 11
St John's Clo. LU1-1F 21
St John's Ct. LU1-1G 21
St Joseph's Clo. LU3-1E 12
St Kilda Rd. LU4-1H 11
St Lawrence's Av. LU3-2G 13
St Lukes Clo. LU4-3C 12
St Margarets Av. LU3-1F 13
St Margarets Ct. LU3-7A 24
St Martin's Av. LU2-3K 13
St Mary's Chu. Path. LU1-6K 13
(off St Mary's Rd.)
St Mary's Ct. LU6-5D 10
St Mary's Ga. LU6-5D 10
St Mary's Glebe. LU6-6E 16
St Mary's Rd. LU1-6K 13
St Mary's St. LU6-5D 10
St Matthew's Clo. LU2-5J 13
St Michaels Av. LU5-1C 10
St Michael's Cres. LU3-2G 13
St Mildred's Av. LU3-2G 13
St Monicas Av. LU3-2F 13
St Ninians Ct. LU2-5H 13
St Olam's Clo. LU3-6F 7
St Paul's Rd. LU1-1J 21

St Peters Clo. LU1-6F 13
St Peter's Rd. LU5-5E 10
St Saviour's Cres. LU1-7H 13
St Thomas's Rd. LU2-1K 13
St Winifred's Av. LU3-2G 13
Salisbury Rd. LU1-7H 13
Saltdean Clo. LU2-1D 14
Salters Way. LU6-2B 10
Saltfield Cres. LU4-1A 12
Salusbury Rd. SG5-2J 9
Sandalwood Clo. LU3-5F 7
Sandgate Rd. LU4-3B 12
Sandland Clo. LU6-4C 10
Sandringham Dri. LU5-1F 11
Sanfoin Rd. LU4-1J 11
Santingfield N. LU1-7F 13
Santingfield S. LU1-7F 13
Sarum Rd. LU3-1D 12
Sawtry Clo. LU3-6E 6
Saxon Clo. LU6-5A 10
Saxon Cres. MK45-1C 24
Saxon Rd. LU3-3F 13
Saxted Clo. LU2-4D 14
Saywell Rd. LU2-3A 14
Scawsby Clo. LU6-4A 10
School Gdns. MK45-3C 24
School La. LU4-1B 12
School La. LU6-4E 16
School La. SG5-1J 9
School Wlk. LU1-7J 13
School Wlk. LU5-5F 5
Scotfield Ct. LU2-2D 14
Seabrook. LU4-2K 11
Seaford Clo. LU2-2C 14
Seamons Clo. LU6-7F 11
Seaton Rd. LU4-2D 12
Sedbury Clo. LU3-6E 6
Sedgewick Rd. LU4-5K 5
Selbourne Rd. LU4-2D 12
Selina Clo. LU3-5A 6
Selsey Dri. LU2-7C 8
Severalls, The. LU2-2B 14
Sewell La. LU6-2A 10
Seymour Clo. LU1-1K 21
Seymour Rd. LU1-1K 21
Shaftesbury Rd. LU4-5F 13
Shakespeare Rd. LU4-2K 11
Shanklin Clo. LU3-5E 6
Sharpenhoe Rd. MK45 & LU3
                        -7A 24
Sharpenhoe Rd. MK45-3A 24
Sharples Grn. LU3-4F 7
Shelley Rd. LU4-3K 11
Shelton Av. LU5-7B 2
Shelton Clo. LU5-7B 2
Shelton Way. LU2-2A 14
Shepherd Rd. LU4-1G 11
Shepherds Clo. LU5-2H 3
Sherborne Av. LU2-6H 7
Sherd Clo. LU3-5D 6
Sheridan Rd. LU3-3G 13
Sheriden Clo. LU6-4D 10
Sheringham Clo. LU2-5G 7
Sherwood Rd. LU4-3E 12
Shingle Clo. LU3-4E 6
Shires, The. LU2-4H 13
Shirley Rd. LU1-5G 13
Short Path. LU5-6E 4
Sibley Clo. LU2-2B 14
Silecroft Rd. LU2-5A 14
Silver St. LU1-6J 13
Sir Herbert Janes Village. LU4
                        -1B 12
Skelton Clo. LU3-3F 7
Skimpot Rd. LU4-4J 11
Skua Clo. LU4-7J 5
Slapton La. LU6-4A 16
Slate Hall. LU3-7J 3
Slicketts La. LU6-7F 17
Smiths La. Mall. LU1-6J 13
(off Arndale Cen.)
Smith Sq. LU1-6J 13
(off Arndale Cen.)
Solway Rd. N. LU3-1E 12
Solway Rd. S. LU3-2E 12
Someries Arch. LU1-1C 22
Somersby Clo. LU1-1J 21
Somerset Av. LU2-3A 14
Sorrel Clo. LU3-4E 6
Southampton Gdns. LU3-3B 6
S. Drift Way. LU1-7F 13

S. End La. LU6-6A 16
Southern Rise. LU2-6F 23
Southfields Rd. LU6-7F 11
South Rd. LU1-7J 13
Southwood Rd. LU5-7G 11
Sowerby Av. LU2-2C 14
Spandon Ct. LU1-7H 13
(off Elizabeth St.)
Sparrow Clo. LU4-1J 11
Spayne Clo. LU3-4F 7
Spear Clo. LU3-6C 6
Speedwell Clo. LU3-4E 6
Spencer Rd. LU3-4G 13
Spinney Cres. LU6-5B 10
Spinney Rd. LU3-5B 6
Spittlesea Rd. LU2-7C 14
Spoondell. LU6-6B 10
Spratts La. LU6-4G 19
Springfield S. LU3-6G 7
Springfield Rd. LU6-5K 17
Spring Pl. LU1-7H 13
Square, The. LU6-5D 10
Squires Pl. LU5-5B 2
Staines Sq. LU6-6E 10
Stanbridge Rd. LU6-1E 16
Stanbridge Rd. LU7-1A 16
Stanford Rd. LU2-3A 14
Stanley Rd. LU3-7A 24
Stanley St. LU1-7H 13
Stanley Wlk. LU1-7H 13
(off Stanley St.)
Stanmore Cres. LU3-1D 12
Stanton Rd. LU4-4A 12
Stapleford Rd. LU2-1B 14
Starpoint. LU1-6G 13
Statham Clo. LU3-3F 7
Station Rd. LU1-5J 13
Station Rd. LU4-7C 6
Station Rd. LU5-4C 2
Station Rd. LU5-2G 3
Station Rd. LU5-5F 11
Staveley Rd. LU4-4A 12
Staveley Rd. LU6-7D 10
Stephens Clo. LU2-2A 14
Stivers Way. LU5-1H 3
Stockdale. LU5-6B 2
Stockholm Way. LU3-4C 6
Stockingstone Rd. LU2-2H 13
Stockwood Clo. LU1-7H 13
(off Stockwood Cres.)
Stockwood Cres. LU1-7H 13
Stoneleigh Clo. LU3-5F 7
Stonesdale. LU4-1A 12
Stoneways Clo. LU4-6B 6
Stoneygate Rd. LU4-3B 12
Stoney La. LU2 & SG4-4G 15
Stopsley Way. LU2-2A 14
Strafford Clo. LU5-2H 3
Strangers Way. LU4-1A 12
Stratford Clo. LU5-6C 6
Stratford Rd. LU4-4F 13
Strathmore Av. LU1-1J 21
Strathmore Way. LU1-7K 13
Stratton Gdns. LU2-1H 13
Strawberry Field. LU3-5C 6
Streatley Rd. LU3-7K 3
Stuart Pl. LU1-6H 13
Stuart Rd. MK45-1C 24
Stuart St. LU1-6H 13
Stuart Rd. LU6-4C 10
Stuart St. Pas. LU1-6H 13
Stubbs Clo. LU5-7F 5
Studham La. LU6-6C 18
Studley Rd. LU3-4H 13
Styles Clo. LU2-3C 14
Sudbury Rd. LU4-6K 5
Sugden Ct. LU5-5C 10
Summerfield Rd. LU1-5D 12
Summerleys. LU6-6E 16
Summers Rd. LU2-4C 14
Summer St. LU1-4G 21
Sunbower. LU6-2A 10
Suncote Av. LU6-2A 10
Suncote Clo. LU6-3A 10
Sundon Pk. Pde. LU3-5A 6
Sundon Rd. LU3-3K 5
Sundon Rd. LU3-7A 24
Sundon Rd. LU4 & LU3-3H 5
Sundon Rd. LU5-2H 3

Sundon Rd. LU5 & LU4-7E 4
Sundown Av. LU4-7H 5
Sunningdale. LU2-2K 13
Sunningdale Ct. LU2-2K 13
Sunridge Av. LU2-3J 13
Sunset Dri. LU2-2K 13
Surrey St. LU1-7J 13
Sussex Clo. LU4-1H 11
Sutherland Pl. LU1-1H 21
Sutton Gdns. LU3-6B 6
Swallow Clo. LU4-1J 11
Swan Ct. LU6-5D 10
Swan Mead. LU4-1J 11
Swansons. LU6-7F 17
Swanston Grange. LU4-3K 11
Swasedale Rd. LU3-6D 6
Swasedale Wlk. LU3-6D 6
Swifts Grn. Clo. LU2-7B 8
Swifts Grn. Rd. LU2-7B 8
Sworder Clo. LU3-6D 6
Sycamore Clo. LU3-3A 6
Sycamore Rd. LU5-6E 4
Sylam Clo. LU3-5C 6

Tabor Clo. LU5-1H 3
Talbot Rd. LU2-4K 13
Tameton Clo. LU2-3F 15
Tancred Rd. LU2-4E 14
Tanfield Grn. LU2-4E 14
Tarnside Clo. LU6-7D 10
Taskers Row. LU6-6F 17
Taunton Av. LU2-4B 14
Tavistock Cres. LU1-1J 21
Tavistock St. LU1-7J 13
Tavistock St. LU6-3C 10
Taylor St. LU2-5K 13
Tebworth Rd. LU7-3A 4
Teesdale. LU4-7A 6
Telescombe Way. LU2-2C 14
Telford Way. LU1-5H 13
Telmere Ind. Est. LU1-7J 13
(off Albert Rd.)
Temple Clo. LU2-7J 7
Tenby Dri. LU2-2D 12
Tennyson Av. LU5-1F 11
Tennyson Rd. LU1-2J 21
Tenth Av. LU3-5A 6
Tenzing Gro. LU1-7G 13
Thames Clo. LU3-2F 13
Thames Ind. Est. LU6-5D 10
Thatch Clo. LU4-1H 11
Thaxted Clo. LU3-6D 6
Therfield Wlk. LU5-6G 5
Thetford Gdns. LU2-6J 7
Third Av. LU3-5A 6
Thirlby Clo. LU3-6D 6
Thirlstone Rd. LU4-4B 12
Thistle Rd. LU1-6K 13
Thornage Clo. LU2-5H 7
Thornbury. LU5-3H 11
Thorndale. LU4-7A 6
Thornhill Clo. LU5-5F 5
Thornhill Rd. LU4-7A 6
Thorn Rd. LU5-7A 4
Thorn View Rd. LU5-7D 4
Thrales Clo. LU3-5C 6
(in three parts)
Thresher Clo. LU4-1H 11
Thricknells Clo. LU3-5C 6
Thurlow Clo. LU4-1H 11
Tiberius Rd. LU3-6D 6
Tilgate. LU2-2D 14
Timberlands Caravan Pk. LU1
                        -6G 21
Timworth Clo. LU2-4D 14
Tinsley Clo. LU1-1F 21
Tintagel Clo. LU3-1F 13
Tipplehill Rd. LU1-4D 20
Titan Ct. LU4-4D 12
Tithe Farm Rd. LU5-6D 4
Toddington Rd. LU4-6K 5
Toddington Rd. LU5-1F 3
Toland Clo. LU4-4A 12
Tomlinson Av. LU4-1G 11
Torquay Dri. LU4-1B 12
Totternhoe Rd. LU4-6D 16
Totternhoe Rd. LU6-6A 10
Tower Ct. LU2-4A 14
Tower Rd. LU2-5A 14
Tower Way. LU2-5A 14

Townsend Farm Rd. LU5-2D 10
Townsend Ind. Est. LU5-2D 10
Townsend Ter. LU5-1C 10
Townside. LU6-7F 17
Townsley Clo. LU1-7J 13
Tracey Ct. LU1-7J 13
(off Hibbert St.)
Trefoil Clo. LU4-1H 11
Trent Rd. LU3-2E 12
Trescott Clo. LU2-3E 14
Trident Clo. LU5-6F 5
Triggs Way. LU2-2E 14
Trimley Clo. LU4-7K 5
Tring Rd. LU7 & LU6-7J 17
Trinity Rd. LU3-7E 6
Trowbridge Gdns. LU2-3J 13
Truncalls. LU1-1H 21
(off Sutherland Pl.)
Truro Gdns. LU3-7F 7
Tudor Clo. MK45-1C 24
Tudor Dri. LU5-1G 11
Tudor Rd. LU3-3F 13
Turner Clo. LU5-7F 5
Turners Rd. N. LU2-3A 14
Turners Rd. S. LU2-3A 14
Turnpike Clo. LU6-7E 10
Turnpike Dri. LU3-3G 7
Twyford Dri. LU2-3D 14
Tylers Mead. LU2-7J 7
Tythe Rd. LU4-6A 6

Ullswater Rd. LU6-7D 10
Ulverston Rd. LU6-7C 10
Underwood Clo. LU3-3D 6
Union St. LU1-7J 13
Union St. LU6-5C 10
Uplands. LU3-4B 6
Uplands Ct. LU1-1J 21
Up. George St. LU1-6H 13
Upton Clo. LU2-6H 7
Upwell Rd. LU2-3B 14

Vadis Clo. LU3-5C 6
Valence End. LU6-7F 11
Valiant Clo. LU5-2H 3
Valley Clo. LU6-7A 18
Vanbrugh Dri. LU5-7F 5
Varna Clo. LU3-2E 12
Vauxhall Rd. LU1 & LU2-1B 22
Vauxhall Way. LU2-2A 14
Venetia Rd. LU2-1A 14
Ventnor Gdns. LU3-5D 6
Verey Rd. LU5-3E 10
Vernon Pl. LU5-4D 10
Vernon Rd. LU1-5G 13
Verulam Gdns. LU3-6D 6
Vespers Clo. LU4-3J 11
Vicarage Rd. LU5-7D 4
Vicarage St. LU1-6K 13
Viceroy Ct. LU6-5E 10
Victoria St. LU1-7J 13
Victoria St. LU6-4C 10
Villa Ct. LU2-5H 13
Villa Rd. LU2-5H 13
Vincent Rd. LU4-7B 6
Virginia Clo. LU2-2K 13

Viscount Clo. LU3-7E 6

Waddison Clo. LU2-3D 14
Wadhurst Av. LU3-1G 13
Walcot Av. LU2-3A 14
Waldeck Rd. LU1 & LU3-5G 13
Waleys Clo. LU3-4C 6
Walgrave Rd. LU5-3H 11
Walkley Rd. LU5-1D 10
Wallace Dri. LU6-4E 16
Wallace M. LU6-4E 16
Waller Av. LU4 & LU3-3D 12
Waller St. Mall. LU1-6J 13
(off Arndale Cen.)
Walnut Clo. LU2-1B 14
Walsingham Clo. LU2-5H 7
Waltham Ct. LU2-2C 14
(off Cowdray Clo.)
Wandon Clo. LU2-1C 14
Warden Hill Clo. LU2-4G 7
Warden Hill Gdns. LU2-4G 7
Warden Hill Rd. LU2-4G 7
Wardlow Clo. LU3-3H 13
Wardown Cres. LU2-3J 13
Warminster Clo. LU2-4F 15
Warren Clo. LU5-4A 2
Warren Dri., The. LU1-5B 22
Warren Rd. LU1-5D 12
Warton Grn. LU2-3E 14
Warwick Ct. LU1-7J 13
(off Holly St.)
Warwick Rd. E. LU4-5F 13
Warwick Rd. W. LU4-5F 13
Washbrook Clo. MK45-4C 24
Water End La. LU4-2G 5
Waterlow Rd. LU6-4C 10
Watermead Rd. LU3-6D 6
Waterside. LU6-6F 17
Waterslade Grn. LU3-6F 7
Watling Clo. LU5-1D 10
Watling Ct. LU6-3C 10
Watling Pl. LU5-1D 10
Watling St. LU6 & AL3-2H 19
Watling St. LU7 & LU6-7A 4
Waulds Bank Dri. LU3-4B 6
Wayside. LU6-1F 19
Weatherby. LU6-5A 10
Weatherby Rd. LU4-3B 12
Wedgewood Rd. LU4-1H 11
Welbeck Rd. LU2-5K 13
Welbury Av. LU3-5G 7
Weldon Clo. LU2-4E 14
Wellfield Av. LU3-4A 6
Wellgate Rd. LU4-3B 12
Well Head Rd. LU6-3J 17
Wellhouse Clo. LU1-6E 12
Wellington Ct. LU1-7H 13
(off Wellington St.)
Wellington St. LU1-7H 13
Wellington Ter. LU5-5E 10
Weltmore Rd. LU3-6D 6
Wendover Way. LU2-2K 13
Wenlock St. LU2-5J 13
Wenslydale. LU2-4J 13
Wentworth Av. LU4-6A 6
Wentworth Clo. LU5-4A 2
Wentworth Gdns. LU5-5C 2

Westbourne Rd. LU4-4F 13
Westbury Clo. LU5-2D 10
Westbury Gdns. LU2-2H 13
Westdown Gdns. LU6-6B 10
Westerdale. LU4-1K 11
Western Rd. LU1-7H 13
Western Way. LU5-4G 11
Westfield Rd. LU6-5B 10
West Hill. LU6-1E 18
W. Hill Rd. LU1-1J 21
West La. SG5-2J 9
Westlea. LU4-1A 12
Westlecote Gdns. LU2-1H 13
Westminster Gdns. LU5-6E 4
Westmorland Av. LU3-7D 6
Westoning Rd. LU5-1G 3
West Pde. LU6-5C 10
W. Side Cen. LU1-5H 13
West St. LU2-3D 8
West St. LU6-6B 10
Wetherne Link. LU4-7A 6
Wexham Clo. LU3-4C 6
Weybourne Dri. LU2-5G 7
Wharfdale. LU4-7A 6
Wheatfield Ct. LU4-1G 11
Wheatfield Rd. LU4-1G 11
Whipperley Ct. LU1-1G 21
Whipperley Ring. LU1-1E 12
Whipperley Way. LU1-7E 13
Whipsnade Rd. LU6-6B 10
Whitby Rd. LU3-4E 12
Whitchurch Clo. LU2-3D 14
Whitecroft Rd. LU2-5A 14
Whitefield Av. LU3-5A 6
White Haven. LU3-3E 6
Whitehill Av. LU1-1H 21
White Hill Rd. MK45-2C 24
Whitehorse Vale. LU3-3C 6
Whitehouse Clo. LU5-1D 10
Whitethorn Way. LU1-7E 12
Whitwell Clo. LU3-4F 7
Wickets, The. LU2-4H 13
Wick Hill. LU6-6H 19
Wickmere Clo. LU2-5G 7
Wickstead Av. LU4-2C 12
Wigmore La. LU2-1B 14
Wilbury Dri. LU5-3G 11
Wild Cherry Dri. LU1-1H 21
Willenhall Clo. LU3-5E 6
William St. LU2-4J 13
Williton Rd. LU2-3B 14
Willow Ct. LU3-7C 6
Willowgate Trading Est. LU3-4K 5
Willow Way. LU3-7C 6
Willow Way. LU5-6B 2
Willow Way. LU5-6F 5
(off Kent Rd.)
Wilsden Av. LU1-7G 13
Wimborne St. LU1-5F 13
Wimple Rd. LU4-3J 11
Winchester Gdns. LU3-3C 6
Winch St. LU2-4K 13
Windermere Clo. LU6-6D 10
Windermere Cres. LU3-7D 6
Windmill Ind. Est. LU1-6K 13
Windmill Rd. LU1-6K 13
Windmill Rd. SG4-2K 15
Windsor Ct. LU1-7H 13

Windsor Dri. LU5-7F 5
Windsor Pde. MK45-1C 24
Windsor Rd. MK45-1C 24
Windsor St. LU1-7H 13
Windsor Wlk. LU1-7H 13
Winfield St. LU6-4D 10
Wingate Ho. LU4-3D 12
Wingate Rd. LU4-3D 12
Wingate Rd. LU5-1H 3
Wingate Rd. LU5-4G 11
Winkfield Clo. LU4-4K 11
Winsdon Rd. LU1-7H 13
Winslow Clo. LU3-1G 13
Winton Clo. LU2-6H 7
Wistow Rd. LU3-6E 6
Withy Clo. LU4-7K 5
Wiveton Clo. LU2-5H 7
Woburn Ct. LU4-7B 6
(off Vincent Rd.)
Wodecroft Rd. LU3-6F 7
Wolfsburg Ct. LU4-7A 6
(off Hockwell Ring)
Wolston Clo. LU1-6G 13
Woodbridge Clo. LU4-1C 12
Woodbury Hill. LU2-3J 13
Woodbury Hill Path. LU2-3J 13
Woodcock Rd. LU1-6E 12
Woodfield Ga. LU5-7G 11
Woodford Rd. LU5-4G 11
Wood Grn. Clo. LU2-7B 8
Wood Grn. Rd. LU2-7B 8
Woodland Av. LU3-3F 13
Woodland Rise. LU6-7D 18
Woodlands Av. LU5-1E 10
Woodmere. LU3-3E 6
Woodside. LU6-4E 16
Woodside Ind. Est. LU5-2F 11
Woodside Pk. Ind. Est. LU5-2E 10
Woodside Rd. LU1-2F 21
Wood St. LU1-7H 13
Wood St. LU5-5E 10
Woolpack Clo. LU6-6E 10
Wootton Clo. LU3-5F 7
Wordsworth Rd. LU4-3J 11
Workers La. LU5-6B 2
Worthington Rd. LU6-5B 10
Wren Clo. LU2-6C 8
Wren Wlk. LU6-6E 16
Wulwards Clo. LU1-7F 13
Wulwards Ct. LU1-7F 13
Wychwood Av. LU2-2J 13
Wycliffe Clo. LU3-6G 7
Wycombe Way. LU3-4G 7
Wyken Clo. LU3-5E 6
Wyndham Rd. LU4-3A 12
Wyvern Clo. LU4-2C 12

Yately Clo. LU2-5H 7
Yeovil Ct. LU2-3B 14
Yeovil Rd. LU2-3B 14
Yew St. LU5-5F 5
Yew Tree Clo. LU6-5F 17
York Clo. MK45-1D 24
York St. LU2-5K 13

Every possible care has been taken to ensure that the information given in this publication is accurate and whilst the publishers would be grateful to learn of any errors, they regret they cannot accept any responsibility for loss thereby caused.

The representation on the maps of a road, track or footpath is no evidence of the existence of a right of way.

The Grid on this map is the National Grid taken from the Ordnance Survey map with the permission of the Controller of Her Majesty's Stationery Office.

Copyright of Geographers' A-Z Map Co. Ltd.

No reproduction by any method whatsoever of any part of this publication is permitted without the prior consent of the copyright owners.

Page 7

Jeff Talmadge. 183 Barton Rd. 01582 504050